JEFF KINNEY EGYÉB KÖNYVEI:

Egy ropi naplója

Egy ropi naplója: Az utolsó szalmaszál *(előkészületben)*

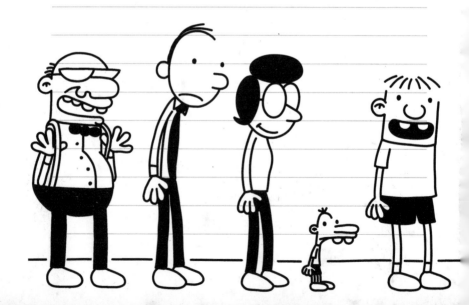

Egy ropi

NAPLÓja

RODRICK A KIRÁLY

Jeff Kinney

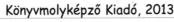

Hetedik kiadás

Könyvmolyképző Kiadó, 2013

Írta és rajzolta: Jeff Kinney
A mű eredeti címe: Diary of a Wimpy Kid: Rodrick Rules
Fordította: Szabados Tamás

ISBN 978 963 245 190 9

© Kiadta a Könyvmolyképző Kiadó, 2013-ban
Cím: 6701 Szeged, Pf. 784
Tel.: (62) 551-132, Fax: (62) 551-139
E-mail: info@konyvmolykepzo.hu
www.konyvmolykepzo.hu
Felelős kiadó: A. Katona Ildikó

Műszaki szerkesztő: Bágyoni József
Nyomta és kötötte: Alföldi Nyomda Zrt., Debrecen
Felelős vezető: György Géza vezérigazgató

JULIE-NEK, WILLNEK ÉS GRANTNEK

SZEPTEMBER

Hétfő

Úgy tűnik, anya állati büszke magára, hogy tavaly rávett a naplóírásra, mert most vett egy újat.

Ugye mindenki emlékszik, mikor jeleztem, hogy ha valaki elkap ezzel a „naplóval", esetleg helytelen következtetésekre jut? Hát pontosan ez történt.

(RODRICK, A BÁTYÁM)

Most, hogy Rodrick tudja, hogy folytatom az emlékiratírást, jobb, ha nem felejtem el lakat alatt tartani a följegyzéseimet. Rodrick pár hete megszerezte a RÉGI emlékirataimat, és ez kész katasztrófa. De nem AZZAL a történettel kezdem. Mert a Rodrickkal kapcsolatos zűrök nélkül is elég szottyadt volt a nyár.

A családunk nem megy sehova, nem csinál semmi szórakoztatót, ami apa hibája. Újra beíratott az úszócsapatba, és gondoskodott róla, hogy egyetlen edzést se hagyjak ki az idén.

Apának van az a lövése, hogy nagy úszóvá kell válnom, vagy valami, ezért írat be minden nyáron a csapatba.

Pár éve, az első edzésen a lelkemre madzagolta,

ha az indító elsüti a startpisztolyt, ugorjak a vízbe, és kezdjek el úszni.

Azt viszont ELFELEJTETTE közölni, hogy a startpisztoly csak VAKTÖLTÉNNYEL van töltve.

Úgyhogy sokkal jobban izgultam amiatt, hogy hova csapódik be a golyó, mint azon, hogy mielőbb a medence túlsó partjára érjek.

Persze még akkor is én maradtam a csapat leg-
hervadtabb úszója, miután apa elmagyarázta,
mire való a startpisztoly.

Viszont a nyár végi díjkiosztón elnyertem a „Leg-
többet fejlődött" kitüntető címet. Ugyanis tíz
perc különbség volt az első és az utolsó időered-
ményem között.

Szóval szerintem apa még mindig azt várja, hogy
végre kibontakoztassam a bennem szunnyadó ké-
pességeket.

Az úszócsapat edzéseire járni sok szempontból
még a felső tagozatnál is lelombozóbb.

Először is, fél nyolcra meg kellett jelennünk az
uszodában, és mindig JÉGHIDEG volt a víz.

Másodszor, két pályára zsúfoltak össze bennünket, így állandóan volt valaki mögöttem, aki meg akart kerülni.

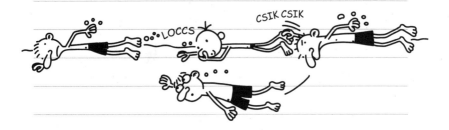

Azért használhattunk csak két pályát, mert az úszóedzéssel egy időben tartották a vízibalettórákat is.

Én ugyan igyekeztem meggyőzni apát, hogy inkább vízibalettre írasson be az úszás helyett, de nem adta be a derekát.

Ezen a nyáron engedte meg az edző először, hogy a fiúk sportnadrágot viseljenek a szűk úszónadrág helyett. De anya szerint Rodrick kinőtt fürdőnadrágja „tökéletesen megfelel" nekem.

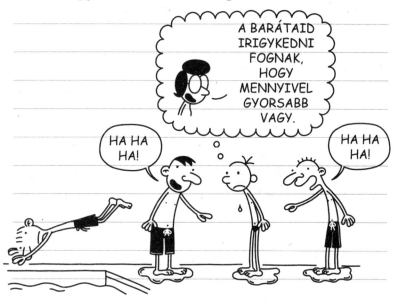

Az edzés után Rodrick vett föl az együttesének teherautójával. Anya valamiért azt hiszi, ha én meg Rodrick mindennap „hasznosan" töltünk el egy kis időt hazafelé jövet, nem fogunk annyit veszekedni. De ettől csak sokkal rosszabb lett az egész.

Rodrick mindig késett fél órát. És nem hagyta,

hogy előre üljek. Azt mondta, hogy a klór tönkreteszi az ülést, pedig ez a nyomorult csotrogány megvan vagy tizenöt éves.

Rodrick furgonjában hátul nincs ülés, úgyhogy a zenekar felszerelése mellett kellett meghúznom magam. És valahányszor a kocsi megállt, azon imádkoztam, nehogy beverjem a fejem Rodrick valamelyik dobjába.

Így aztán mindennap gyalog mentem haza ahelyett, hogy Rodrick vitt volna. Úgy döntöttem, hogy még mindig jobb három kilométert talpalni, mint agykárosodást szenvedni a kisteherautó hátuljában.

A nyár felénél végképp tele lett a hócipőm az úszócsapattal. De rájöttem, hogyan úszhatom meg az edzéseket.

Úszom pár csapást, aztán megkérdezem az edzőt, hogy kimehetek-e a klotyóra, majd elrejtőzöm az öltözőben az edzés végéig.

Csak az a baj ezzel, hogy öt fok van a fiúöltözőben. OTT még jobban fáztam, mint a medencében.

Be kellett magam bugyolálni vécépapírba, hogy ne hűljek ki.

Így töltöttem a nyári szünet jó részét. És ezért várom már, hogy holnap mehessek iskolába.

Kedd

Mikor ma megérkeztem az iskolába, mindenki furán viselkedett velem, és először nem tudtam, MI van.

Aztán eszembe jutott, hogy még tavalyról enyém a sajtos tapi. Az iskolaév utolsó hetében kaptam a sajtos tapit, és nyáron TELJESEN elfeledkeztem róla.

Az a gáz a sajtos tapival, hogy addig van rajtad, míg át nem adod valaki másnak. De senki nem merészkedett tíz méternél közelebb hozzám. Tudtam, hogy egész évben nem fogom levakarni magamról.

Szerencsére egy Jeremy Pindle nevű gyerek jött az osztályba, úgyhogy megoldódott a probléma.

Az első óra az algebra alapjai, és a tanár Alex Aruda mellé ültetett. Ő a legokosabb az egész osztályban.

Alexről SZUPER könnyű másolni, mert mindig korán fejezi be a dolgozatot, és leteszi maga mellé a feladatlapot. Szóval, ha elkapnak az emberrablók, jó tudni, hogy Alex majd kifizeti értem a váltságdíjat.

Azokat a kölyköket szólítják fel legsűrűbben a tanárok, akiknek az ábécé első pár betűjével kezdődik a családnevük, és ezért szoktak ők a legokosabbak lenni.

Van, aki szerint ez nem igaz, de ha el akarsz jönni az iskolánkba, megmutathatom.

ALEX ARUDA   CHRISTOPHER ZIEGEL

Csak EGYETLEN gyerek szegte meg a családnévszabályt: Peter Uteger. Peter volt a legokosabb gyerek egészen ötödikig.

Aztán egy csomóan elkezdtük azzal cikizni, hogy hangzik a nevének két kezdőbetűje, ha hangosan kiejtjük.

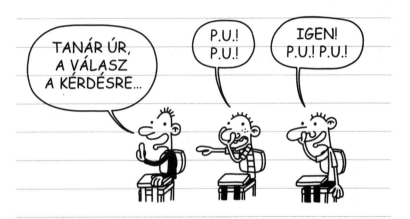

Akkoriban Peter egyáltalán nem jelentkezett, és hármas lett.

Én egy kicsit rosszul éreztem magam az egész P.U. miatt, és azért, ami Peterrel történt. De nehéz kihagyni a ziccert, ha megfelelő alkalom adódik.

Egyébként a történelmet kivéve egész jó helyen ülök az órákon. Valami azt súgja, hogy a tanárom, Mr. Huff pár éve Rodrickot is tanította.

Szerda

Anyu kitalálta, hogy Rodrickkal segítenünk kell a házimunkában, úgyhogy most a mi nyakunkba szakadt esténként a mosogatás.

Anyu úgy döntött, hogy addig nem nézhetünk tévét és nem játszhatunk számítógépes játékokat, amíg nincs elmosogatva. DE az az igazság, hogy Rodrick a LEGPOCSÉKABB mosogatótárs a világon.

Ahogy véget ér a vacsora, fölmegy a fürdőszobába, és ott lebzsel egy órán keresztül. És mire lejön, én már kész vagyok.

De ha emiatt szólok apának meg anyának, Rodrick mindig ugyanazt a béna kifogást rángatja elő:

Azt hiszem, apa és anya túlságosan aggódik, hogy öcsém, Manny belekeveredik a kettőnk közti villongásokba.

Tegnap Manny rajzolt egy képet az oviban. Apa és anya tényleg kiakadt, mikor megtalálták a hátizsákjában.

Ők azt hitték, hogy a kép RÓLUK szól, úgyhogy nagyon bűbájosan viselkednek Manny előtt.

Én tudom, kiket ábrázol VALÓJÁBAN a kép: engem és Rodrickot.

Nemrég iszonyatosan összevesztünk a távkap-
csolón, és Manny végignézte az egész cirkuszt.
De EZ nem tartozik sem apára, sem anyára.

<u>Csütörtök</u>

A másik ok, amitől szottyadt volt a nyár, hogy
a legjobb barátom, Rowley majdnem egész idő
alatt nyaralt. Azt hiszem, Dél-Amerikába ment
vagy hova, de, hogy őszinte legyek, nem vagyok
biztos a dologban.

Nem tudom, hogy rossz fényt vet-e rám vagy sem,
de nem igazán tud érdekelni mások nyaralása.

Azonkívül az az érzésem, hogy Rowley-ék család-
ja mindig valami őrült helyre utazik a világban, és
nem is tudom követni, mikor hol jártak.

Már csak azért sem foglalkozom Rowley-ék uta-
zásaival, mert valahányszor visszajön, mindig
rettentően villog.

Tavaly tíz napra utaztak Ausztráliába, de amikor
megjöttek, úgy viselkedett, mintha a fél életét
ott töltötte volna.

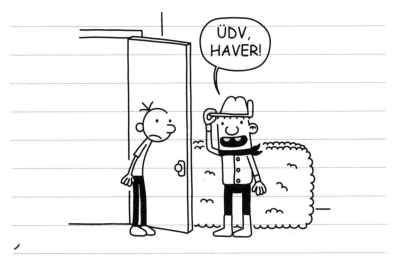

ÜDV,
HAVER!

Az is zavaró tényező, hogy valahányszor Rowley
valami új országba utazik, beszerez valami ottani
divatos hóbortot.

Mikor Európából jött haza két évvel ezelőtt, akkor egy Joshie nevű popzenészért volt oda, aki, valami nagy durranás lehet odaát. Szóval Rowley egy halom Joshie-CD-vel, poszterrel meg mi-egyébbel tért haza.

Egy pillantást vetettem a képre a CD-n, és közöltem Rowley-val, hogy azt a Joshie-t hatéves kislányoknak találták ki, de nem hitt nekem. Azt mondta, hogy egyszerűen féltékeny vagyok, mert ő „fedezte fel" Joshie-t.

És amitől aztán tényleg berágtam, hogy ez a pofa lett Rowley bálványa. Úgyhogy valahányszor valami kritikai megjegyzést akartam tenni, Rowley meg sem akarta hallani.

A külföldi országokról jut eszembe, hogy ma, franciaórán Madame Lefrere mondta, hogy ebben az évben levelezőtársat fogunk választani.

Mikor Rodrick felsős volt, egy tizenhét éves holland lánnyal levelezett. Tudom, mert láttam a leveleket a lomos fiókjában.

Mikor Madame Lefrere kiosztotta a formanyom-tatványokat, úgy töltöttem ki a rubrikákat, hogy olyan levelezőtársam legyen, mint Rodricknak.

De miután Madame Lefrere elolvasta, azt mondta, töltsem ki újra, és válasszak mást. Azt mondta, hogy korombeli fiút kell választanom, ÉS franciá-nak kell lennie. Így aztán nem valami nagy remé-nyekkel nézek az egész levelezőtárs-buli elé.

Je m'appelle "Philippe."

Péntek

Anya úgy döntött, hogy Rodrick ezentúl az iskola után is vigyen haza, ahogy eddig az edzések után tette. Azt hiszem, ez azt jelenti, hogy ő nem sokat tanult az EDDIGI tapasztalatokból. De én igen. Amikor ma Rodrick felszedett, megkértem, hogy érzéssel használja a féket.

Rodrick azt mondta, rendben, de azután direkt átment minden forgalomlassító fekvőrendőrön a városban.

Mikor kiszálltam a teherautóból, lehülyéztem Rodrickot, aztán elfajultak a dolgok. Anya látta az egészet a nappali ablakából.

Beparancsolt minket, le kellett ülnünk a konyha-asztalhoz. Azt mondta, hogy nekem meg Rodrick-nak „civilizált módon" kell rendeznünk a nézetel-téréseinket.

Aztán kijelentette, hogy nekem meg Rodricknak le kell írnunk, mit tettünk rosszul, ráadásul le is kell rajzolnunk a dolgot. És én pontosan tudtam, honnan szedte anya EZT az ötletet.

Anya valamikor óvónő volt, és valahányszor va-lamelyik gyerek valami rosszat csinált, lerajzol-tatta vele. Azt hiszem, az az elképzelése, hogy a kölyök elszégyelli magát azért, amit tett, és nem teszi legközelebb.

NEM TÖRÖM EL A CERUZÁKAT, MERT ETTŐL A TÖBBI GYEREK SZOMORÚ LESZ.

Nos, lehet, hogy anya ötlete remekül működött a négyéves kölykök esetében, de kitalálhatott volna valami hatékonyabbat, mert nálam és Rodricknál valószínűleg nem jön be a dolog.

Az az igazság, hogy Rodrick jószerint azt csinál velem, amit akar, mert tudja, hogy úgysem tehetek ellene semmit.

Rodrick az egyetlen, aki tud erről a TÉNYLEG kínos dologról, ami a nyáron történt velem, és azóta is a fejem fölött lengeti, hogy ha bármi rosszat mondok róla, ő az egész világnak kitálalja a titkomat.

Bárcsak én is tudnék valami szennyes dolgot róla, hogy kiteregethessem.

Én csak EGY kínos dolgot tudok Rodrickról, de nem hiszem, hogy azzal sokra mennék.

Rodrick másodikos gimis korában éppen megbetegedett az iskolai fényképezkedés napján. Úgyhogy anya azt mondta apának, küldje el Rodrick elsős képét az iskolába, hogy azt tegyék az évkönyvbe.

Ne kérdezzétek, apa hogyan cseszte el, de Rodrick MÁSODIKOS általános iskolás képét küldte el.

És akár hiszitek, akár nem, kinyomtatták.

Harrington, Leonard	*Hatley, Andrew*	*Heffley, Rodrick*	*Hills, Heather*

Sajnos Rodrick elég dörzsölt volt, hogy kitépje a képet az évkönyvéből. Ezért, ha valamit ki akarok róla deríteni, akkor azt hiszem, mélyebbre kell ásnom.

Szerda

Mióta anya megbízott engem meg Rodrickot a mosogatással, apa lemegy a kazánházba vacsora után, és a polgárháború egyik csatamezejének miniatürizált változatán dolgozik.

Apa legalább három órát dolgozik ezen az izén. Szerintem akkor lenne boldog, ha egész hétvégén a csatateret építhetné, de anyának MÁS tervei vannak.

Anyu szeret romantikus vígjátékokat kikölcsönözni, és elvárja, hogy apu vele együtt nézze őket. De tudom, hogy apa alig várja, hogy véget érjen a film, és mehessen az alagsorba.

✢ PUSZI ✢
✢ CUPP ✢

Valahányszor apa nem lehet a kazánházban, gondoskodik róla, hogy mi, kölykök se férhessünk a cucchoz.

Apa a csatatér KÖZELÉBE sem enged engem meg
Rodrickot, mert még valamit összekutyulunk.

És ma reggel hallottam, mikor apa mondott vala-
mit Mannynek, hogy Ő se kavarjon arrafelé.

> AZT HISZEM,
> VALAMI DÖRMÖGŐ
> HANGOT HALLOTTAM
> A KAZÁNHÁZBÓL.

Szombat

Rowley ma átjött hozzánk. Apa nem szereti, ha
átjön, mert szerinte Rowley „balesetveszélyes".
Azt hiszem, azért, mert mikor Rowley először és
utoljára itt vacsorázott, leejtette a tányért, és
az eltörött.

Így aztán apának meggyőződése, hogy Rowley egyetlen laza mozdulattal le fogja rombolni az egész polgárháborús csatateret.

Valahányszor Rowley az utóbbi időben átjön, apa ugyanúgy üdvözli:

Rowley apja meg ENGEM nem bír. Ezért nem is megyek hozzájuk sokat az utóbbi időben.

Mikor utoljára Rowley-éknál aludtam, egy olyan filmet néztünk, ahol pár kölyök kitalált valami titkos nyelvet, hogy a felnőttek ne értsék.

FORDÍTÁS: PONTOSAN 2:20-KOR DOBJUK
A KÖNYVEINKET A PADLÓRA.

Rowley-val nagyon sirálynak tartottuk a dolgot, és megpróbáltuk kifilózni, hogyan beszéljünk ugyanúgy, mint a kölykök a filmben.

De nem igazán sikerült rájönnünk a nyitjára, úgyhogy elhatároztuk, hogy megalkotjuk a SAJÁT titkos nyelvünket.

És vacsora közben kipróbáltuk.

De Rowley apukája biztosan megfejtette a kó-
dot, mert az lett a vége, hogy még a desszert
előtt hazaküldött. Azóta nem hívtak, hogy alud-
jak ott.

Mikor Rowley ma átjött hozzánk, egy rakás képet hozott, amit az utazás során készítettek. Azt mondta, hogy a vakáció legjobb része az volt, amikor egy folyón mentek szafarira, és mutatott egy csomó madarakat, állatokat meg mifenéket ábrázoló homályos felvételt.

Én a Vadállati Királyság nevű vidámparkban voltam egy csomószor, és ott is van ilyen folyamos rész, ahol szuper robotállatokat lehet látni, pl. gorillákat meg dinoszauruszt.

Ha engem kérdeznek, Rowley szülei egy csomó pénzt spórolhattak volna, ha oda viszik.

LÁTTÁL CÁPÁT ÓRIÁS TARANTULÁVAL KÜZDENI A SZAFARIDON?

NEM. A CÁPÁK NEM KÜZDENEK TARANTULÁKKAL.

DE A VADÁLLATI KIRÁLYSÁGBAN IGEN.

De persze Rowley nem volt kíváncsi az ÉN történeteimre, úgyhogy összeszedte a képeit, és hazament.

Ma este vacsora után a szüleink az anya által kikölcsönzött egyik filmet nézték, de apa valójában a polgárháborús csatatérrel akart bíbelődni.

Mikor anya felkelt, hogy a fürdőszobába menjen, apa egy csomó párnát tömött a takaró alá az ő oldalán, hogy úgy nézzen ki, mintha elaludt volna.

Anya csak akkor jött rá, mi a helyzet valójában, amikor véget ért a film.

Ágyba parancsolta apát, bár még csak fél kilenc volt.

Most Manny ott alszik apa és anya ágyában, mert fél a kazánházban lakó szörnyetegtől.

Kedd

Azt gondoltam, már eleget hallottam Rowley utazásáról, de tévedtem. Tegnap társadalomtu-dományok-órán a tanár megkérte Rowley-t, hogy meséljen az egész osztálynak a vakációjáról, erre ő tök röhejes öltözékben vonult be az iskolába. Ami még ennél is ROSSZABB, pár lány odajött Rowley-hoz ebédnél, és nyalták a fenekét.

De aztán rájöttem, hogy talán mégsem olyan rossz a helyzet. Úgyhogy elkezdtem föl-alá parádézni Rowley-val az étteremben, hiszen végül is ÉN vagyok a legjobb barátja.

Szombat

Apa az utóbbi pár hétben minden szombaton elvisz a bevásárlóközpontba. Először azt gondoltam, több időt akar velem tölteni. De aztán rájöttem, hogy egyszerűen nem akar otthon lenni, mikor Rodrick bandája gyakorol, amit mélységesen megértek.

Rodrick és heavy metal bandája hétvégenként az alagsorban próbál.

A banda vezető énekese egy Bill Walter nevű fic-
kó, akibe apával ma reggel belefutottunk.

Billnek nincs munkája, és még mindig a szüleinél
lakik, bár harmincöt éves.

Tutira veszem, hogy apa attól retteg, hogy Rod-
rick valamiféle példaképet lát Billben, és hogy
Rodrick is Bill nyomdokaiba fog lépni.

Így valahányszor apa meglátja Billt, egész napra
elmegy az életkedve.

Rodrick azért hívta meg Billt a zenekarába, mert főiskolás korában Bill lett a győztes a „Legtutibb, hogy rocksztár lesz" című versenyen.

Legtutibb, hogy rocksztár lesz

Bill Walter   Anna Wrentham

Ez még nem igazán jött be Billnek. Olyasmit hallottam, hogy Anna Wrentham börtönben van.

Szóval apával pár órára elmentünk a bevásárlóközpontba, de mikor hazaértünk, Rodrickék zenekarának próbája még nem ért véget. A gitárok és dobok hangját már egy háztömbnyi távolságból lehetett hallani, és egy csomó összeverődött kamasz álldogált a kocsibejárónkon.

Gyanítom, hogy hallották az alagsorból kihallatszó zenét, és odavonzotta őket, mint molylepkéket a fény.

Mikor apa meglátta a bandát a kocsibejárón, TOTÁL bekattant.

Beszaladt, és hívni akarta a zsarukat, de anya idejében megállította, és nem sikerült tárcsáznia a 911-et.

Anya szerint azok a kamaszok nem bántanak senkit, és csak „elismerik" Rowley művészetét. De fogalmam sincs, hogy volt képes ezt rezzenéstelen arccal kimondani. És aki valaha hallotta Rowley bandáját, tudja, miről beszélek.

Apa nem bírta elviselni a kocsibejárón tanyázó tinédzsereket.

Felment, és lehozta a rádiós magnóját. Aztán feltett egy klasszikus CD-t, és lejátszotta. Senki nem HINNÉ el, milyen gyorsan kiürült a kocsibejáró.

Apa nagyon büszke volt magára. De anya azzal vádolta, hogy direkt üldözte el Rodrick „rajongóit".

<u>Vasárnap</u>

Ma útban a templom felé a kocsiban grimaszoltam Mannynek, hogy megnevettessem. Az egyik annyira megtetszett neki, hogy annyit nevetett, hogy az orrán jött ki az almalé.

De anya azt mondta:

Mikor anya elültette ezt a gondolatot Manny agyában, beütött a világvége.

Látják? Ezért tartok kellő távolságot Mannytől. Valahányszor szórakozni akarok vele, mindig rá-faragok.

Emlékszem, mikor fiatalabb voltam és anya meg apa közölte a hírt, hogy lesz egy kistestvérem, TÉNYLEG izgatott lettem.

Miután Rodrick annyi éven át szuttyongatott, határozottan jó érzéssel töltött el, hogy fölfelé mozdulok eggyel a totemoszlopon.

De anya és apa MARHÁRA vigyáz, nehogy egy ujjal is hozzányúljak Mannyhez. Még akkor se nyuvaszthatom, ha rendesen rászolgált.

Mint a múltkor, mikor bedugtam a videojátékomat, és nem indult el. Kinyitottam, és láttam, hogy Manny egy csokis sütit gyömöszölt bele a lemezmeghajtóba.

És persze Manny ugyanazzal védekezett, mint mindig, ha tönkreteszi a holmimat.

Rendesen elborult az agyam, de semmit sem tehettem, mert ott állt anya.

Anya bejelentette, hogy „beszéde" van Mannyvel, és elvonultak. Fél órával később visszajöttek a szobámba, és Manny valamit szorongatott a kezében.

Egy alufólia gombóc volt, amiből fogpiszkálók álltak ki.

Ne kérdezzétek, mi köze volt a tönkrement videojátékomhoz. Már indultam, hogy kidobjam ezt a hülyeséget, de anya még AZT sem hagyta.

Ez az izé az első adandó alkalommal a szemétben fog landolni. Mert, szavamra, ha nem szabadulok meg tőle, akkor a végén még beleülök.

Bár megőrülök Mannytől, EGYETLEN ok azért
még akad, amiért szeretem, hogy itt van. Mióta
Manny elkezdett beszélni, Rodrick nem engem
nyúz, hogy áruljak csokoládét az iskolai alapít-
vány javára.

AZELŐTT...

MOST...

Hétfő

Madame Lefrere megíratta velünk az első levelet a levelezőtársunknak. Én egy Mamadou Montpierre nevű kölyköt kaptam, és azt hiszem, valahol Franciaországban él.

Tudom, hogy franciául kellett volna írnom és Mamadounak meg angolul válaszolnia, de hogy őszinte legyek, nagyon nehéz idegen nyelven írni.

Úgyhogy nem látom, miért kéne mindkettőnknek túlspilázni ezt az egész levelezősdit.

Kedves Mamadou!

Először is azt hiszem, mindkettőnknek angolul kéne írnunk, hogy egyszerűbb legyen a dolog.

Egyébként emlékeztek, mikor azt mondtam, attól tartok, hogy beleülök Manny tüskés alufólia gombócába? Hát félig beigazolódtak a félelmeim.

51

Rowley átjött ma videojátékozni, és végül Ő ült bele.

Tényleg valósággal megkönnyebbültem, hogy őszinte legyek. Pár nappal ezelőtt elvesztettem az izé nyomát, de örülök, hogy végre előkerült.

És a nagy hajcihőben bedobtam Manny „ajándékát" a szemétbe. De valami azt súgta, hogy anya ezúttal nem állít meg.

Szerda

Rodricknak angol házi dolgozatot kell írnia holnapra, és anya most az egyszer tényleg vele íratta meg. Mivel Rodrick nem tud gépelni, ezért rendszerint füzetlapokra írta a házi dolgozatait, aztán átadta őket apának.

De mikor apa átolvasta Rodrick munkáját, min-
denféle tárgyi tévedést talált benne.

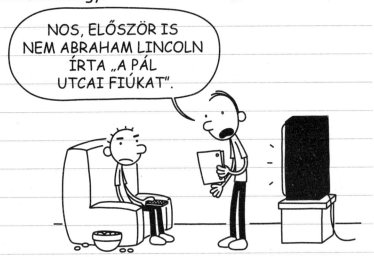

Rodrickot viszont egyáltalán nem érdekelték a
tévedések, úgyhogy azt mondta apának, ne fog-
lalkozzon vele, csak gépelje le, ahogy van.

De apa nem tudta elviselni, hogy hibáktól hem-
zsegő házi dolgozatot gépeljen, úgyhogy a vázlat
alapján újraírta Rodrick dolgozatát. És mikor pár
nap múlva Rodrick hazahozta az ötös dolgozatot,
úgy tett, mintha ő írta volna.

Ez így ment pár éven keresztül, és azt hiszem, anya most elhatározta, hogy véget vet ennek. Ma este azt mondta apának, hogy Rodricknak magának kell elvégeznie a SAJÁT munkáját, és apa nem segíthet neki.

Rodrick vacsora után odaült a számítógéphez, és lehetett hallani, hogy nagyjából percenként üt le egy billentyűt.

Látszott, hogy Rodrick gépelésének hangjától apa teljesen kiakadt. Ráadásul Rodrick minden tíz percben kijött a számítógépes szobából, és feltett apának valami ostoba kérdést.

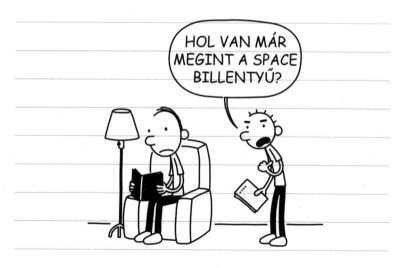

Pár óra múlva apa megtört.

Apa megvárta, míg anya lefekszik, aztán legépelte Rodrick egész dolgozatát. Gyanítom, a Rodrick által kidolgozott módszert egyelőre nem fenyegeti veszély.

Holnapra nekem is le kell adnom egy olvasmánynaplót, de én nem izgulok.

Már rég rájöttem az olvasmánynapló készítésének titkára. Az elmúlt öt évben ugyanazt a könyvet ismertetem: „Sherlock Sanya megoldja".

A „Sherlock Sanya megoldja" nagyjából húsz novellát tartalmaz, de én úgy állítom be az egyes sztorikat, mintha mindegyik külön könyv lenne, a tanár meg soha nem vette észre a dolgot.

Ezek a Sherlock Sanya-történetek mind ugyanolyanok. Valami felnőtt bűnt követ el, aztán Sherlock Sanya kinyomozza, és hülyét csinál belőle.

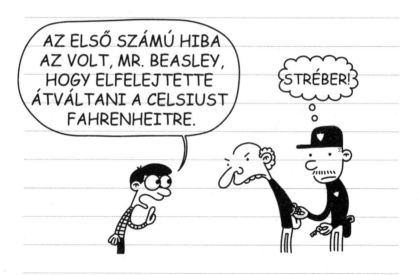

Mostanra valóságos olvasmánynapló-szakértő lettem. Nem kell mást tenni, csak pontosan azt kell írni, amit a tanár hallani szeretne.

Sanya nagyon
okos, és lefogadom
azért, mert
annyit olvas.

Lefogadom, hogy igazad van!

Van egy csomó nehéz szó
a könyvben, de megnéztem
őket az értelmező
szótárban, és most már
tudom, mit jelentenek.

Azt hiszem, te is vérbeli "kopó" vagy! (5*)

OKTÓBER

<u>Hétfő</u>

Egy Chirag Gupta nevű kölyök tavaly a barátom volt, de júniusban elköltöztek. A család hatalmas búcsúbulit rendezett, és az egész szomszédságot meghívták. De azt hiszem, Chirag szülei meggondolták magukat, mert ma Chirag megint megjelent az iskolában.

Mindenki örült, hogy látja Chiragot, de páran elhatároztuk, hogy egy kicsit megtréfáljuk, mielőtt visszafogadnánk.

Alapvetően úgy tettünk, mintha nem jött volna vissza.

Be kell vallanom, nagyon vicces volt.

Ebédnél Chirag mellém ült. Még egy csokis süti
lapult az uzsonnás csomagomban, és nagy balhét
csaptam körülötte.

Elismerem, ez egy kicsit durva volt.

Azt hiszem, holnap megkönyörülünk Chiragon. De aztán a Láthatatlan Chirag-ügy egyre inkább a következő „P.U."-üggyé kezdett válni.

Kedd

Rendben, a Láthatatlan Chirag-balhé még mindig tart, és most már benne van az egész OSZTÁLY. Én nem akartam túlságosan belemerülni vagy mifene, de azt hiszem, az „Osztály bohóca" cím is benne lehet a pakliban.

A természettudomány-órán a tanár megkért, hogy számoljam meg a gyerekeket az osztályban, hogy tudja, hány védőszemüveget hozzon a szertárból.

Hatalmas műsort rendeztem, miközben össze-
számoltam mindenkit, Chiragot kivéve.

Ez TÉNYLEG kiborította Chiragot. Felpattant, és
elkezdett ordítani, és tényleg nehéz volt fapofá-
val nézni előre, mintha ott sem volna.

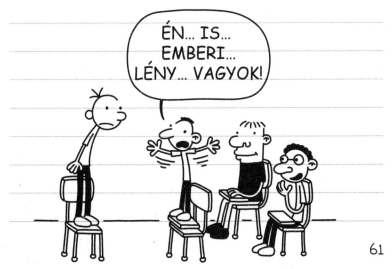

Meg akartam neki mondani, hogy soha nem mondtuk, hogy nem emberi lény, csak arról van szó, hogy ő LÁTHATATLAN emberi lény. De sikerült befogni a számat.

Mielőtt azzal vádolnátok, hogy rossz barát vagyok és ugratom Chiragot, hadd mondjak valamit a védelmemre: kisebb vagyok, mint az osztály 95%-a, így, ha szeretnék találni valakit, akit ugrathatok, akkor nagyon korlátozottak a lehetőségeim.

És azonkívül nem én vagyok 100%-ig a felelős azért, hogy eszembe jutott ez a poén. Akár hiszitek, akár nem, maga az ötlet anyától származik. Mikor kicsi voltam, a konyhaasztal alatt játszottam, és anya keresett.

LÁTTA VALAKI GREGORYT?

Nem tudom, mi ütött belém, de úgy döntöttem, hogy megtréfálom anyát, és nem jövök elő.

Anya végigjárta a házat, és a nevemet kiabálta. Azt hiszem, végül észrevett a konyhaasztal alatt, de úgy tett, mintha nem tudná, hol vagyok.

SZEGÉNY GREGORY! EGYEDÜL KINN A HÓBAN. Ó, HO-HO-HO-HÓ.

Nagyon mulatságosnak találtam, és valószínűleg még egy kicsit a rejtekhelyemen maradtam volna. De végül anya szakította félbe a játékot, mikor azt mondta, hogy odaadja Rodricknak a gumilabdagépemet.

Szóval, ha valaki a Láthatatlan Chirag-tréfa ere-
detére kíváncsi, most már tudja, ki a hibás.

Csütörtök

Hát, tegnap Chirag végképp feladta, hogy meg-
próbáljon szóba állni bárkivel az osztályból. De
ma megtalálta a gyenge pontunkat.

Rowley-ról TELJESEN elfeledkeztem. Mikor el-kezdtük a mókát, gondoskodtam róla, hogy távol tartsam Chiragtól, mert éreztem, hogy Rowley el fogja szúrni a tréfát.

De azt hiszem, túlságosan elbíztam magam, és óvatlan lettem.

Chirag ebédkor kezelésbe vette Rowley-t, és már tényleg közel járt, hogy megtöri.

Rowley már-már azon volt, hogy mond valamit, úgyhogy kénytelen voltam sürgősen a tettek mezejére lépni. Mindenkinek megmondtam, hogy egy úszó szedvics lebegett az ebédlőasztalunk felett, én meg lekaptam a levegőből, és két hara-pással elfogyasztottam.

Így aztán hála lélekjelenlétemnek, folytathattuk a tréfát.

De ettől Chirag TÉNYLEG berágott. Elkezdte ütögetni a karomat, de persze én úgy tettem, mintha észre sem venném.

És hadd mondjam meg, ez nem is volt olyan köny-nyű. Lehet, hogy Chirag kicsi, de ütni, azt tud.

Péntek

Azt hiszem, Chirag panaszkodott valamelyik ta-
nárnak a kis tréfám miatt, mert ma behívattak
az irodába.

Mikor Roy igazgatóhelyettes szobájához ér-
tem, egészen fel volt paprikázva. Tudta, hogy én
kezdtem a tréfát, és megleckéztetett a „tiszte-
let" és az „illendőség" meg mifene témaköréből.

De szerencsére Mr. Roy egy alapvető dologban
tévedett, vagyis annak a személynek a kilétében,
akivel a tréfát űztük. Így aztán kifejezetten
könnyen ment a bocsánatkérés.

67

Mr. Roy egészen elégedett volt a bocsánatkéréssel, úgyhogy büntetés nélkül távozhattam.

Mindig azt hallottam, hogy mikor Mr. Roy valakit alaposan ledorongol, utána egy vállveregetéssel meg egy nyalókával bocsátja útnak. Most már első kézből megerősíthetem, hogy így van.

Szombat

Holnap lesz Rowley szülinapi bulija, úgyhogy anya elvitt a bevásárlóközpontba, hogy ajándékot vegyünk neki. Egy szuper videojátékot választottam, és odaadtam anyának, hogy ki tudja fizetni. De anya azt mondta, hogy a SAJÁT pénzemből kell kifizetnem.

Azt mondtam anyának, hogy nincs pénzem.

Másodszor, ha lenne pénzem, akkor sem pazarolnám Rowley-ra.

Anya nem látszott túl boldognak attól, amit mondtam, de nem az én hibám, hogy le vagyok égve. Tulajdonképpen dolgoztam nyáron, de azok, akiknek dolgoztam, megharagudtak rám, így aztán egyetlen vasat sem kerestem.

Itt vannak ezek a Fullerék, akik pár házzal följebb laknak, és minden nyáron elmennek nyaralni.

A kutyájukat, Hercegnőt általában a kennelben hagyják, de idén azt mondták, hogy öt dollárt fizetnek, ha etetem Hercegnőt és elviszem sétálni. Kiszámoltam, ezzel annyit keresek, hogy egy egész csomó videojátékot tudok majd venni.

De azt hiszem, Hercegnő fél idegenek előtt elvégezni a dolgát, úgyhogy végül az idő jó részében csak álldogáltam a napon és vártam, hogy az az ostoba kutya igyekezzen túlesni a dolgon.

GYERÜNK!

Én meg csak vártam és vártam, de nem történt semmi, aztán visszavittem Hercegnőt.

Csakhogy minden alkalommal, miután elmentem, Hercegnő hatalmas adagot termelt a hallban, és én másnap takaríthattam. A nyár vége felé megokosodtam, és rájöttem, hogy sokkal könnyebb lesz a Hercegnő termékét egyben feltakarítani, mint minden áldott nap szenvedni vele.

Úgyhogy etettem, és a végterméket úgy két hétig ott hagytam a hall padlóján.

Aztán egy nappal Fullerék hazaérkezése előtt takarítószerekkel megrakodva jelentem meg.

Tudjátok, mi történt? Fullerék megrövidítették a nyaralásukat. Egy nappal korábban érkeztek haza.

Gyanítom, nincsenek tisztában azzal, hogy jó modorra vall, ha előre telefonál az ember, amennyiben megváltoztatja a terveit. Ma este anya leült

velem és Rodrickkal. Azt mondta, hogy mind-
ketten folyton arról panaszkodunk, hogy nincs
zsebpénzünk, úgyhogy van egy javaslata, amivel
kereshetünk egy kis pénzt.

Aztán előhúzott egy csomó játékpénzt, amit biz-
tosan valami társasjátékból kapart elő, és elke-
resztelte a „mamidolcsijának". Azt mondta, hogy
bármilyen házimunka, jó cselekedet meg ilyesmi
esetén mamidolcsit kapunk, amit VALÓDI pénzre
cserélhetünk nála.

Anya mindegyikünknek 1000 dollárt adott, hogy
ne nulláról induljunk. Arra gondoltam, hogy végre
megütöttem a főnyereményt. De aztán anya el-
mesélte, hogy minden mamidolcsi csak egy pennyt
ér VALÓDI pénzben.

Anya elmondta, hogyan gyűjtögessük a mamidol-
csikat, és hozzátette, ha türelmesek leszünk,
meg tudjuk venni, amit tényleg akarunk.

De Rodrick beváltotta a részét, mielőtt anya
szóhoz jutott volna.

Aztán lement a boltba, és heavy metal magazi-
nokra költötte a pénzt.

Ha Rodrick így nyakára akar hágni a pénzének,
csak tessék. De én okosan gazdálkodom a SAJÁT
dolcsijaimmal.

Vasárnap

Ma volt Rowley szülinapi bulija, és a bevásárló-
központban tartottuk. Tutira élveztem volna, ha
hétéves vagyok.

Ez volt ugyanis Rowley buliján az átlagéletkor. Rowley meghívta az egész karatecsoportját, és a kölykök legtöbbje még alsó tagozatos. Bár tudtam volna, hogy ilyen lesz a buli, mert akkor tutira kihagyom.

Azzal kezdtük, hogy azokat az ostoba, bulikon szokásos társasjátékokat játszottuk, mint amilyen a székfoglaló meg a többi. Végül bújócskáztunk.

Azt találtam ki, hogy meghúzom magam a labdákkal telerakott játszógödörben, és ott maradok, míg véget ér a buli. De egy MÁSIK gyerek már bujkált benne.

Kiderült, hogy a kölyök nem Rowley bulijára jött, hanem az egy órával azelőtt kezdődött ELŐZŐRE.

Gyanítom, hogy bújócskázás közben rejtőzött el itt, de SENKI nem találta meg.

Így aztán Rowley buliját fel kellett függeszteni, míg a személyzet megpróbálta megtalálni a kölyök szüleit.

Miután tisztázódott a helyzet, megettük a tortát és néztük, hogyan bontja fel Rowley az ajándékait. Főleg egy csomó gyerekjátékot kapott, de úgy tűnt, örül nekik.

Aztán a szülei adták át az ajándékukat. Tudjátok mit? Egy NAPLÓT.

Ez egy kicsit helyre tett engem, mert tudtam, hogy Rowley naplót kért a szüleitől, hogy olyan legyen, mint én. Miután kinyitotta az ajándékát, így szólt:

MOST MÁR HÍVHATJUK MAGUNKAT „NAPLÓS IKREKNEK".

Tudattam vele egész pontosan, hogy mit gondolok erről az egész ötletről, jól belebokszoltam a karjába. Tényleg nem érdekelt, hogy ez a szülinapi bulija.

AÚÚÚ!

DÖRZS DÖRZS

Egy dolgot mondhatok. Dühös szoktam lenni anyára, hogy túl lányos kinézetű naplót vesz. De miután láttam Rowley-ét, rájöttem, hogy egész jól jártam.

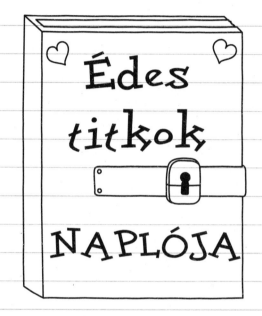

Az utóbbi időben Rowley TOTÁL utánoz engem. Ugyanazokat a képregényeket olvassa, amit én, ugyanolyan üdítőt iszik, hogy csak pár dolgot említsek. Anya azt mondja, érezzem „hízelgőnek" a dolgot, de engem tökre kiakaszt.

Pár napja kísérletet végeztem, hogy milyen messzire hajlandó elmenni Rowley.

Feltűrtem a nadrágom szárát, és egy kendőt kötöttem a bokámra, és így mentem iskolába.

Elég az hozzá, hogy Rowley másnap pontosan ugyanígy jött iskolába.

Így aztán a héten már másodszor kötöttem ki Roy igazgatóhelyettes irodájában.

Hétfő

Hétfő

Azt hittem, totál megszabadultam a Láthatatlan Chirag-ügytől. De tévedtem.

Ma este anyát felhívta Chirag APJA. Mr. Gupta elmesélte anyának a fia kárára elkövetett kis tréfánkat, és azt is elárulta neki, hogy én voltam az értelmi szerző.

Mikor anya kérdőre vont, azt mondtam, fogalmam sincs, miről beszél Chirag apja.

Aztán anya elcibált Rowley-ék házához, mert hallani akarta, hogy Ő mit szól mindehhez.

Szerencsére fel voltam készülve valami ehhez hasonló dologra. Épp ezért jó előre betanítottam Rowley-t, hogy mit tegyen, ha lebukunk, és hogy mindketten tagadjunk le mindent: akkor nem lehet baj.

De abban a pillanatban, mikor anya elkezdte kér-
dezgetni Rowley-t, ő megtört.

Így aztán a Rowley-éknál tett látogatás után
anya átvitt Chiragékhoz bocsánatot kérni. És
hadd áruljam el, AZ nem volt valami nagy öröm.

Mr. Guptát nem hatotta meg túlságosan a bocsá-
natkérésem, de akár hiszitek, akár nem, Chirag
egész szuperül viselkedett.

Miután bocsánatot kértem, behívott, hogy játsz-
szunk videojátékot. Azt hiszem, annyira meg-
könnyebbült, hogy végre szóba áll vele az egyik
osztálytársa, hogy elhatározta, megbocsátja
nekem ezt a kis incidenst.

Azt hiszem, én is megbocsátok neki.

Kedd
Bár Chiraggal egyenesbe jöttek a dolgok múlt
este, anya még nem végzett velem.

Nem azért volt rám dühös, mert tréfálkoztam,
vagy ahogy Chiraggal viselkedtem. Azért volt be-
rágva, mert HAZUDTAM ezzel kapcsolatban.

Úgyhogy anya beígérte, hogy ha még egyszer ha-
zugságon kap, akkor egy HÓNAPRA büntibe vág.

Ez azt jelenti, hogy nagyon kell vigyáznom magamra, mert anya nem felejti el az ilyesmit. Ha a melléfogásaimról van szó, olyan a memóriája, mint egy elefánté.

(ELSŐ ALKALOM: HAT ÉVVEL EZELŐTT)

Tavaly, mikor anya hazugságon kapott, alaposan megadtam az árát.

Anya egy héttel karácsony előtt mézeskalács házikót készített, és a hűtőszekrény tetejére tette. Kijelentette, hogy senkinek nem szabad hozzáérnie a karácsonyesti vacsoráig.

De nem tudtam megállni. Esténként leosontam, és egy kis darabot törtem a mézeskalács házikóból. Minden alkalommal igyekeztem csak kis darabokat enni, nehogy anya észrevegye.

Tényleg nehéz volt megtartóztatni magam, hogy minden este csak egy gumicukrot vagy egy kis mézeskalácsmorzsát egyek, de azért sikerült.

Nem tudtam, hogy valójában mennyit ettem belőle egészen addig, míg anya le nem vette a hűtőszekrényről karácsonyeste.

Mikor azzal vádolt, hogy megettem az egész sütit, tagadtam. De bárcsak bevallottam volna rögtön, mert nagy égés lett belőle.

Anya akkor éppen a helyi újság szülői rovatánál dolgozott, és ezért folyton témát vadászott. Ez a kis affér valóságos hírességet csinált belőlem.

Amikor átver
a gyereked

Susan
Heffley

A karácsony előtti hetek komoly stresszforrást jelenthetnek a gyerekek számára, mert ilyenkor előre nem látható kísértésekkel kell szembenézniük. A fiam, Gregory kitalálta, hogy...

De most, hogy elgondolkodtam, anya sem mindig hótiszta, ha arról van szó, hogy Ő legyen BECSÜ-LETES.

Emlékszem, kiskölyök voltam még, és ő rájött, hogy nem mosom a fogamat minden este. Úgy tett, mintha felhívná a fogorvosi rendelőt. És ez a hívás az oka, hogy még mindig négyszer mosok fogat naponta.

Péntek

Három napja megtartom anyának tett ígérete-met. Egész idő alatt 100%-ig becsületes voltam, és akár hiszitek, akár nem, nem is olyan nehéz.

Valójában felszabadító érzés. Néhány helyzetben már sokkal őszintébb voltam, mint pár héttel ezelőtt.

Például a minap beszédbe elegyedtem a Shawn Snella nevű szomszéd kölyökkel.

És tegnap Rowley-ék a nagypapa születésnapját ünnepelték.

Azt hiszem, a legtöbben nem értékelik a hozzám hasonló, őszinte embereket. Úgyhogy ne engem kérdezz, hogyan lett elnök George Washington.

<u>Szombat</u>

Ma felvettem a telefont. Mrs. Gillman volt a szülői munkaközösségtől, és anyát kereste. Megpróbáltam átadni neki a telefont, de azt suttogta, mondjam azt Mrs. Gillmannak, hogy nincs itthon.

Nem tudom, talán anya arra akart rávenni, hogy hazudjak, vagy MI, de szó sem lehetett róla, hogy megszegjem becsületességi fogadalmamat valami hülyeség miatt.

Így aztán kizavartam anyát a verandára, mielőtt szóba álltam volna Mrs. Gillmannal.

ANYUKÁM JELENLEG NINCS ITTHON.

És abból a pillantásból ítélve, amit anya vetett rám, mikor visszajött a házba, sejtettem, hogy a továbbiakban nem ragaszkodik hozzá, hogy minden helyzetben igazat mondjak.

Hétfő

Ma volt a pályaválasztási nap az iskolában. Ezt minden évben megrendezik, hogy a gyerekek elkezdjenek gondolkozni azon, mit fognak csinálni, amikor felnőnek.

Ezért egy csomó különféle foglalkozást űző felnőttet trombitálnak össze. Azt hiszem, eredetileg arra gondoltak, hogy a gyerekek így könnyebben megtalálják a nekik való szakmát.

De VALÓJÁBAN az történik, hogy rájövünk, melyiket ne válasszuk.

Elektromérnök

Megalkotja az eljárás koncepcióját

Megírja a terveket és a folyamatokat

Egységesíti a terveket és a folyamatokat

EZÉRT SZERETEK ELEKTROMÉRNÖK LENNI.

Az előadások után kérdőíveket kell kitöltenünk. Az első kérdés a következő: „Szerinted hol leszel majd tizenöt év múlva?"

Én pontosan tudom, hol leszek tizenöt év múlva: egy medencében a birtokomon, és számolom a pénzemet. De ennek a lehetőségét nem jelezte külön rubrika.

A kérdőívek arra szolgálnak, hogy előre jelezzék, milyen munkát végzünk majd, ha felnövünk. Mikor befejeztem, kikerestem a táblázatból, és azt kaptam, hogy „hivatalnok".

Bizonyára valami baj lehet ezeknek a nyomtatványoknak az összeállításával, mert egyetlen hivatalnokot sem ismerek, aki milliárdos lenne.

Néhány másik gyerek is elégedetlen volt azzal a szakmával, amit kidobott neki a gép. De a tanár azt mondta, nem szabad túl komolyan venni az egészet.

Hát, próbáld ezt elmesélni Edward Mealey-nek. Tavaly az jött ki neki, hogy „köztisztasági dolgozó", és azóta másként kezelik a tanárok.

Rowley-nak „ápolónő" jött ki, és ő, úgy látszik, boldog vele. Egy pár lánynak szintén az ápolónő jött ki, és Rowley hosszan fecsegett velük suli után.

Jövőre ne felejtsek el Rowley mellé ülni, hogy lemásolhassam a kérdőívét, és akkor velem is ez történik majd.

Szombat

Rodrickkal egész nap csak a lábunkat lógáztuk, mire anya átküldött bennünket a nagyihoz, hogy gereblyézzük össze a leveleket.

Anya azt mondta, hogy 100 mamidolcsit fizet minden zsákért, amit megtöltünk. Azonkívül a nagyi megígérte, hogy forró csokoládét kapunk, ha befejeztük.

Nem sok kedvem volt szombaton dolgozni, de kellett a pénz. És nagyi forró csokija tényleg fergeteges. Így aztán vittünk pár gereblyét meg szemeteszsákot a garázsból, és elindultunk a nagyi háza felé.

Én kaptam az udvar egyik felét, Rodrick a mási-kat. De alig tíz perce dolgoztam, amikor Rodrick odajött, és közölte, hogy rosszul csinálom.

Rodrick azt mondta, hogy TÚL sok levelet teszek a zsákokba, és ha a zsákot közelebb kötjük össze az aljához, sokkal gyorsabban fogok haladni.

Látjátok, ez olyan tanács, amit az ember joggal vár el a bátyjától.

Miután Rodrick megmutatta, hogyan kell csinálni, végigmentünk a már elkészült zsákokon. Egy fél óra alatt elfogytak.

Nagyi nem látszott túl boldognak, amikor bementünk a beígért forró csokiért. De ahogy mondani szokás, az üzlet az üzlet.

<u>Hétfő</u>

A pályaválasztás napja óta Rowley egy csomó lánnyal ebédel, akik az étterem egyik sarkában ülnek. Szerintem ők a Jövő Amerikai Ápolónői vagy mifene.

Azt ne kérdezzétek, miről beszélgetnek. Csak sutyorognak meg vihognak, mint egy csapat elsős.

De jelzem, jobban teszik, ha nem rólam beszélnek.

Emlékeztek, mikor azt mondtam, hogy Rodrick az egyetlen, aki tud arról a felettébb kínos dologról, ami nyáron történt? Hát Rowley tudja a MÁSODIK legkínosabb dolgot, ami velem történt, és tényleg semmi szükségem rá, hogy megossza másokkal is.

Ötödikben egy tréfás jelenetet kellett előadnunk az osztály előtt spanyolórán, és az én partnerem Rowley volt.

Persze az egészet spanyolul kellett előadni. Row-
ley megkérdezte, mit tennék meg a csokiért, és
én azt feleltem, hogy akár fejen is állnék.

De mikor megpróbáltam fejen állni, átbillentem,
és a fenekem beszakította a falat.

Nos, az iskola nem javíttatta ki a lyukat, úgyhogy
a továbbiakban a fenekem lenyomata ott virított
Mrs. Gonzales szobájában.

És ha Rowley megszellőzteti ezt a történetet,
tutira szét fogom kürtölni, hogy ki nyalta fel a
Sajtot.

Szerda

Ma jöttem rá, ha tudni akarom, miről beszélget Rowley azokkal a lányokkal az étteremben, el kell olvasnom a NAPLÓJÁT. Lefogadom, hogy leírja az összes szaftos kis történetet.

Csak az a gond, hogy Rowley naplóját egy kis lakat zárja. Még ha a birtokomba kerülne, akkor sem tudnám kinyitni. De akkor eszembe jutott valami. Csak vásárolnom kell egy pontosan olyan naplót, mint amilyen az ÖVÉ, akkor nekem is lesz kulcsom.

Úgyhogy elmentem a könyvesboltba, és levettem az utolsót a polcról. Reméltem, hogy megéri az árát, mert ki kellett köhögnöm a mamidolcsik felét, hogy az enyém lehessen. És nem hiszem, hogy apa repesne az örömtől, hogy vehet nekem egy Édes titkok naplóját.

<u>Csütörtök</u>

Ma tornaóra után megláttam, hogy Rowley véletlenül a padon felejtette a naplóját. Mikor tiszta lett a terep, elővettem az új kulcsomat, megpróbáltam kinyitni vele, és működött.

Fellapoztam, és elkezdtem olvasni.

Kedves Naplóm!

Ma megint a Dinoblézer akciófigurákkal játszottam. Mecharex versus Triceraklopsz volt, és Mecharex farkon harapta Triceraklopszot.

AÚ! A FRANCBA!

> *Aztán a Triceraklopsz megfordult és azt mondta, hogy na igen, és ez hogy tetszik, majd popsin lőtte Mecharexet.*

Végiglapoztam az egészet, hogy lássam, szerepel-e a nevem, de csak ehhez hasonló „édes titkokkal" volt tele minden oldal.

Miután láttam, mi érdekli Rowley-t valójában, elkezdtem azon töprengeni, miért is barátkozunk mi egyáltalán.

<u>Szombat</u>
Otthon egy hete a dolgok egész jól alakulnak. Rodrick influenzás, úgyhogy ahhoz sincs ereje, hogy engem nyuvasszon. Manny meg a nagyinál van, így aztán az enyém az egész tévé.

Tegnap anya és apa meglepő bejelentést tett.
Azt mondták, elmennek éjszakára, és nekem meg
Rodricknak kell vigyázni a házra.

Ez tényleg nagy újság volt, mert anya és apa
SOHA nem hagyott minket egyedül.

Azt hiszem, mindig attól tartottak, ha elmennek,
akkor Rodrick óriási bulit csap és teleszemeteli a
házat.

De mivel Rodrickot kiütötte az influenza, bizo-
nyára meglátták a nagy lehetőséget. Így, miután
anya leadta a szövegét a „felelősségről", a „biza-
lomról" meg miegyébről, elmentek.

Abban a PILLANATBAN, mikor anya és apa ki-
lépett az ajtón, Rodrick felpattant a díványról,
és felkapta a telefont. Aztán felhívott minden-
kit, akit csak ismert, és bejelentette, hogy bulit
rendez.

Arra gondoltam, hogy felhívom anyát és apát,
elmondom, hogy Rodrick felkelt, de mivel még
SOSEM voltam gimis bulin, kíváncsi lettem. Úgy
döntöttem, befogom a számat és felszívódom.

Rodrick azt mondta, hogy hozzak az alagsorból
valami összecsukható asztalt, meg pár zacskó
jeget az alsó hűtőből. Rodrick barátai 7:00-kor
kezdtek gyülekezni, és mielőtt észrevette volna
az ember, kocsik parkoltak végig az utca mindkét
oldalán.

Először Rodrick barátja, Ward lépett be az ajtón. Egy csomó ember jelent meg és Rodrick azt mondta, hogy kéne még pár asztal. Úgyhogy lementem, hogy hozzak.

De mikor betettem a lábam az alagsorba, hallottam, hogy bezárul mögöttem az ajtó.

Dörömböltem, de Rodrick feltekerte a zenét, hogy elfojtsa a zajt. Be lettem zárva.

Öregem, tudhattam volna, hogy Rodrick fogja magát, és valami ilyen húzással áll elő.

Azt hiszem, egész hülye voltam, mikor azt gondoltam, Rodrick engedni fogja, hogy részt vegyek a buliján.

Jó vad bulinak tűnt. Azt hiszem, pár LÁNY is felbukkant, de nem lehettem benne biztos, mert nehéz a dolgok menetét követni, ha az ember csak a többiek cipője talpát látja.

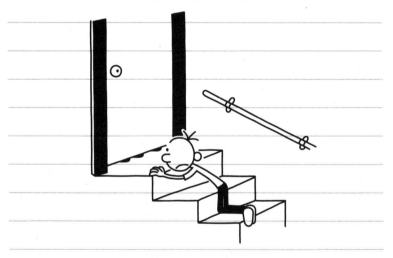

Hajnali 2:00-kor a buli még teljes erővel dübörgött, én ekkor adtam föl. Az éjszakát az egyik pótágyon töltöttem az alagsorban. Nem volt rajta takaró. Gyakorlatilag halálra fagytam, de szó sem lehetett arról, hogy Rodrick ágyáról lehúzzam a takarót.

Az éjszaka bizonyára valaki kinyitotta az alagsorba vezető ajtót, mert mikor reggel felébredtem, nyitva találtam. És mikor felmentem, úgy látszott, tornádó söpört végig a nappalin.

Rodrick utolsó barátai délután 3:00-kor párologtak el. És mikor mindenki elment, Rodrick közölte, hogy segítsek takarítani.

Mondtam neki, hogy elment az esze, ha a történtek után azt hiszi, hogy segítek. De akkor Rodrick azt mondta, ha lebukik a buli miatt, ENGEM is bemárt.

Aztán hozzátette, ha nem segítek neki összepakolni, elmeséli az összes barátomnak, mi történt a nyáron.

Rettentően dühített, hogy ilyen mocskos játékot űz. De láttam rajta, hogy komolyan beszél, úgyhogy nekiálltam a takarításnak.

Anya és apa 7:00-re volt várható, és még egy CSOMÓ tennivaló állt előttünk.

Nem volt könnyű a buli minden nyomát eltüntetni, mert Rodrick barátai a leghülyébb helyeket is teliszemetelték. Mikor egy tál zabpelyhet akartam magamnak csinálni, egy fél pizza esett ki a dobozból.

6:45-re egész jól összekaptuk a dolgokat. Föl-
mentem zuhanyozni, és akkor pillantottam meg a
fürdőszoba ajtajára írt üzenetet.

Megpróbáltam lesikálni szappannal meg vízzel,
de aki elkövette, biztosan valami spéci filcet
használt.

Anya és apa bármelyik pillanatban hazajöhet,
úgyhogy azt hittem, végünk. De akkor Rodricknak
zseniális ötlete támadt. Azt mondta, CSERÉL-
JÜK KI az ajtót az alagsori tároló ajtajára.

Csavarhúzót ragadtunk, és munkához láttunk.

Végül sikerült leszedni az ajtót a zsanérokról, és levittük.

Aztán leszedtük Rodrick alagsori szobájáról az ajtót, és FÖLHOZTUK.

Egyetlen percet sem vesztegettünk. Anya és apa kocsija éppen akkor kanyarodott a kocsibejáróra, mikor az utolsó csavart behajtottuk.

Mondhatni, megkönnyebbültek, mikor látták, hogy a ház nem égett porig, míg odavoltak.

Még nem valószínű, hogy teljesen kint vagyunk a lekvárból. Ahogy apa ma este körbeszaglászott, biztos vagyok benne, hogy nemsokára rájön, hogy itt buli volt.

Nos, Rodrick lehet, hogy ezúttal megúszta, de szerintem örülhet, hogy Manny nem látta a bulit. Manny IGAZI pletykaláda. Már akkor az volt, mikor még beszélni sem tudott. Még olyan dolgokért is bemártott, amiket akkor követtem el, MIELŐTT beszélni tudott volna.

Jó pár évvel ezelőtt betörtem a nappaliban az elhúzható üvegajtót. Apának és anyának nem volt bizonyítéka, hogy tényleg én tettem, és minden erőfeszítésük dacára sem tudták rám verni a balhét, úgyhogy kinn voltam a vízből. De Manny látta, mi történt, és két évvel később bemártott.

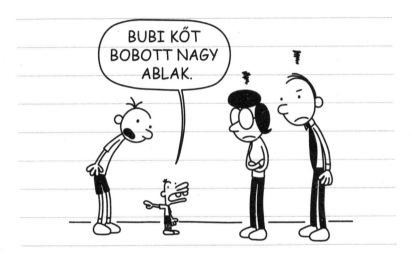

Így, mikor Manny elkezdett beszélni, elkezdtem aggódni, vajon mi mindent látott még kiskorában.

Én is nagy pletykaláda voltam, míg meg nem tanultam a leckét. Egyszer befújtam Rodrickot, hogy csúnya szót használt. Anya megkérdezte, melyik szót mondta, én meg kibetűztem. Hosszú volt.

Végül egy szappandarabbal a számban végeztem, mert tudtam, hogyan kell kibetűzni egy csúnya szót, Rodrick pedig büntetés nélkül megúszta.

<u>Hétfő</u>
Holnapra az a feladat angolból, hogy írjunk egy „allegóriát".

Ez alapvetően olyan történet, ami valamiről szól, de mást jelent. Nehezen jött az ihlet, de aztán megláttam Rodrickot, amint kint dolgozott az autóján, és eszembe jutott valami.

Rory elcseszi

Írta Greg Heffley

Egyszer volt, hol nem volt egy Rory nevű majom. A család, ahol élt, nagyon szerette, még akkor is, ha mindig elcseszte a dolgokat.

Egy napon Rory véletlenül megnyomta a csengőt, és mindenki azt hitte, hogy szándékosan tette. Így aztán banánnal jutalmazták.

Attól fogva Rory azt hitte, hogy ő amolyan majomzseni vagy mifene. Egyik nap hallotta, hogy a családfő azt mondja:

Rory korlátolt agyában egy terv körvonalazódott. Végül ez jött ki belőle:

Rory egész nap, egész éjjel dolgozott, és hogy rövidre fogjam, a kocsi továbbra sem indult el.

Rory végül egy hasznos tapasztalattal lett gazda-
gabb: Rory majom. És a majmok nem javítanak
autókat.

 VÉGE

Miután befejeztem a dolgozatot, megmutattam
Rodricknak. Arra számítottam, hogy úgysem érti
meg, és igazam lett.

Mint már korábban említettem, Rodrick tudja,
hogy a markában tart ezzel a „titok" dologgal.
Úgyhogy nyalnom kell neki, ahogy csak bírok.

<u>Szerda</u>

Manny ma megy először óvodába, és nyilván nem lesz valami nagy szám.

A csoportjában az összes kölyök már szeptemberben kezdett. De Manny a múlt hétig nem volt szobatiszta, és ezért várni kellett, míg átveszik a bölcsődéből.

Manny óvodájában ma tartották a halloweent, úgyhogy nem ez a legalkalmasabb időpont, hogy bemutatkozzon a társainak.

Manny óvónője kénytelen volt felhívni anyát a munkahelyén, hogy vigye haza.

Emlékszem az ÉN első napomra az óvodában. Nem ismertem senkit, úgyhogy eléggé féltem a csomó ismeretlen kölyöktől. De egy Quinn nevű srác rögtön odajött, és elkezdett velem beszélgetni.

Nem jöttem rá, hogy ez vicc, úgyhogy tényleg kiakasztott.

Mondtam anyának, hogy nem akarok visszamenni az óvodába, és meséltem Quinnről, és hogy mit mondott.

De anya azt mondta, hogy Quinn csak buta volt, és nem kell rá hallgatni.

Miután anya elmagyarázta a viccet, tényleg mulatságosnak találtam. Alig vártam, hogy másnap óvodába mehessek, és én is kipróbáljam.

De nem sikerült ugyanazt a hatást elérnem.

NOVEMBER

<u>Hétfő</u>

Több mint egy hét telt el Rodrick bulija óta, és már nem aggódtam, hogy anya és apa megbüntet érte. De emlékeztek a fürdőszobaajtóra, amit kicseréltünk? Egészen ma estig eszembe sem jutott.

Rodrick fönn volt az én szobámban és nyuvasztott, mikor apa bement a fürdőszobába. Pár pillanattal később hallottam valamit, amitől Rodrickban megállt az ütő.

Azt hittem, mindennek vége. Ha apa tud az AJTÓRÓL, akkor idő kérdése, hogy tudomást szerezzen a buliról.

De apa nem adta össze a kettőt meg a kettőt.

Tudjátok, talán nem is lenne olyan rossz, ha anya és apa tudomást szerezne a buliról. Biztosan jól ledorongolnák Rodrickot, ami SZUPER. Úgyhogy elkezdtem töprengni, hogy hogyan ültethetném el a fülükben a bogarat anélkül, hogy Rodrick gyanút fogna.

Kedd

Ma levelet kaptam a francia levelezőtársamtól, Mamadoutól. Úgy döntöttem, változtatok a hozzáállásomon, és teljes mellszélességgel belefekszem ebbe a levelezés dologba. Mikor tegnap válaszoltam Mamadounak, igyekeztem olyan segítőkész lenni, amennyire csak tudtam.

Kedves Gregory!
Nagyon örülök, hogy megismerteleck.

Mamadou

Kedves Mamadou!
Biztos vagyok benne, hogy a „megismertelek" szóban nincs „c". Tényleg gyakorolnod kéne az angolt.

Üdvözlettel, Greg

Azt hiszem, hülyeség, hogy Madame Lefrere nem engedi, hogy e-mailezzünk a levelezőtársunkkal. Albert Murphy már egy csomó üzenetet váltott oda-vissza a levelezőtársával, és rengeteg pénzébe került a bélyeg.

| KEDVES JACQUES! HÁNY ÉVES VAGY? | KEDVES ALBERT! 12 | KEDVES JACQUES! Ó! |

ÖSSZESEN: 14 DOLLÁR

<u>Péntek</u>

Ma este Rowley szülei elmentek vacsorázni, és egy bébiszittert fogadtak mellé.

Nem tudom, Rowley miért nem vigyázhat magára pár órára, de azt hiszem, nem panaszkodhatok. Rowley bébiszittere Heather Hills, és ő a legdögösebb csaj a Crossland középiskolában.

Úgyhogy valahányszor Jeffersonék elmentek, én mindig megjelentem Rowley-éknál „meseidőben".

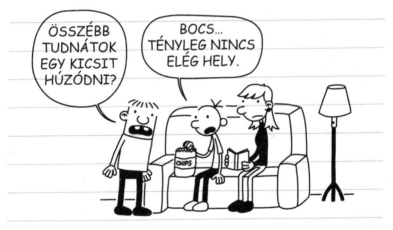

Ma este pontosan 8:00-kor megjelentem Rowley-éknál. Még egy kis kölnit is spricceltem magamra Rodrick készletéből, hogy jó benyomást tegyek Heatherre.

Kopogtattam, és vártam, hogy Heather kinyissa az ajtót. De egy kissé meglepett, mikor Row-ley-ék szomszédja, Leland nyitott ajtót.

Nem tudom elhinni, hogy Rowley szülei lecserél-ték Heathert LELANDRE. Legalább megkérdez-tek volna, mielőtt EKKORA ostobaságot követ-nek el.

Mikor rádöbbentem, hogy Heather nincs ott, sarkon fordultam, és hazaindultam. De Rowley megkérdezte, nem akarok-e Mágusok és monst-rumokat játszani vele meg Lelanddel.

Csak azért mondtam „igent", mert azt hittem, hogy valami videojáték. De aztán rájöttem, hogy ceruzával, papírral meg fura kockával játsszák, és az embernek a „képzeletét" kell használnia vagy mifenét.

De kiderült, hogy egész jó, főként, mert a Mágusok és monstrumokban minden olyasmit lehet csinálni, amit a valóságban nem.

Mikor hazamentem, meséltem anyának a Mágusok és monstrumokról, és hogy Leland tényleg király kalandmester. Rodrick meghallotta, hogy Lelandről beszélek, és kijelentette, hogy Leland a legnagyobb okostojás az egész középiskolában.

De ezt egy olyan fickó mondja, aki azzal tölti a szombat estéit, hogy műhányást tesz az embe-rek kocsijára az áruház parkolójában. Azt hiszem, Rodrick véleménye nem sokat nyom a latban.

Szerda

Mindennap elmentem Lelandékhoz Mágusok és monstrumokat játszani. Ma is oda igyekeztem, mikor anya megállított az ajtóban.

Anya nagy gyanakvással viseltetett az egész Má-gusok és monstrumok dolog iránt.

És a feltett kérdéseiből gyanítottam, hogy azt hiszi, Leland varázsolni tanít engem meg Rowley-t vagy mifene. Úgyhogy anya ma azzal állt elő, hogy eljön Lelandékhoz és megnézi, hogyan játszunk.

Én KÖNYÖRÖGTEM anyának, hogy ne jöjjön, mert azonnal tudtam, hogy helytelenítené a já-tékban az erőszakot.

Ráadásul azt is tudtam, ha ott lesz a szobában, totál elrontja mindenki kedvét.

Mikor könyörögtem, hogy ne jöjjön, az csak MÉG

gyanakvóbbá tette. Úgyhogy semmi sem ingathatta meg az elhatározását.

Rowley és Leland egyáltalán nem törődött vele, hogy anya is eljött. De én nem élveztem, mert totál idiótának éreztem magam előtte.

> IZÉ... TALROK, A VARÁZSLÓM MEGTÖRI TALRUNA VARÁZSLATÁT.

Arra számítottam, hogy anya unatkozni fog és egyszerűen hazamegy, de lecövekelt. Ráadásul éppen akkor, mikor arra gondoltam, hogy most már biztosan elmegy, azt mondta, hogy Ő is csatlakozni akar a játékhoz.

Így aztán Leland elkezdett egy karaktert kidolgozni anyának, bár megpróbáltam jelezni neki, mekkora hiba.

Mikor Leland elkészült a karakterrel, anya azt mondta, hogy szeretné, ha az Ő karaktere az ÉN karakterem mamája lehetne a játékban.

Gyorsan elgondolkodtam és kijelentettem, hogy a Mágusok és monstrumok minden szereplője árva, és nem lehet az anyám.

Anya hitt nekem, de aztán megkérdezte Lelandet, hogy hívhatják-e a karakterét Anyunak. És Leland beleegyezett.

El kell ismernem, ügyes volt anyától, hogy kitalálta ezt a megoldást, de ezzel teljesen elrontotta az én játékomat.

Habár anya nem volt az anyám a játékban, totál
úgy viselkedett, mintha az lenne.

Egyszer, mikor a karaktereink egy kocsmában
üldögéltek, és vártak egy kémet, a törpém, Grim-
lon, egy korsó mézsört rendelt, és azt hiszem,
hogy anya nem nézte ezt jó szemmel.

A játék legrosszabb része az volt, mikor harcba
keveredtünk. Tudod, a Mágusok és monstrumok-
nak az a lényege, hogy az ember annyi szörnyet
öl meg, amennyit csak bír, hogy pontokat szerez-
zen és szintet lépjen.

De nem hiszem, hogy anya felfogta a koncepciót.

Körülbelül egy óra után úgy döntöttem, kiszállok, fogtam anyát, és hazamentünk.

Mikor anya közölte Rodrickkal, hogy kezdje meg az oktatásomat, nem lelkesedett valami nagyon az ötletért. De akkor anya azt mondta, ad neki tíz dollárt leckénként, és hogy egy csomó osztálytársamat is beszervezhetem.

Szóval most toborozhatok pár embert Rodrick dobakadémiájára. De máris megmondhatom, nem sok köszönet lesz benne.

<u>Hétfő</u>

Nem tudtam egyetlen barátomat sem beíratni Rodrick dobtanfolyamára, csak Rowley-t, és ahhoz is trükköznöm kellett egy kicsit, hogy Ő is eljöjjön. Rowley mindig mondta, hogy meg akar tanulni dobolni, de olyan izén, amit a masírozó zenekaroknál használnak.

Mondtam Rowley-nak, hogy TUTI, hogy Rodrick
négy hét alatt piff-puff megtanítja az egészet,
és ettől Rowley egészen izgalomba jött.

Én meg annak örültem, hogy nem kell egyedül
dobleckéket vennem.

Rowley átjött iskola után, és lementünk az alag-
sorba, hogy elkezdjük az első leckét. Rodrick
néhány egyszerű alapgyakorlattal kezdte.

Csak egy gyakorlódob volt és két dobverő, úgy-
hogy Rowley-nak papírtányéron kellett gyakorol-
nia műanyag evőeszközzel. De azt hiszem, mindig
ez történik, ha valaki utolsónak jelentkezik egy
csoportba.

Nagyjából tizenöt perc után Ward felhívta Rod-
rickot, és ez véget vetett az első órának.

Anya nem volt túl boldog, mikor nem sokkal ké-
sőbb meglátott engem meg Rowley-t odafönt,
és újra leküldött bennünket az alagsorba. Azt
mondta, hogy addig ne jöjjünk föl, míg Rodrick
legalább meg nem mondja, mit gyakoroljunk. Úgy-
hogy megmondta.

<u>Kedd</u>

Én meg Rowley ma újra dobórára mentünk Rod-
rickhoz.

Nos, lehet, hogy Rodrick jó dobos, de pocsék
tanár. Én meg Rowley mindent elkövettünk, hogy
megcsináljuk azt a feladatot, amit Rodrick adott,
de folyton belezavarodtunk, és Rodrick végül be-
gurult.

Végül annyira berágott, hogy elvette az ütőinket,
aztán leült a dobfelszerelése mellé és azt mond-
ta, „figyeljünk és tanuljunk". Aztán egy tényleg
hosszú dobszólóba fogott, aminek semmi köze
nem volt ahhoz, amit tanított nekünk.

Rodrick fel sem nézett a dobszerkóról, míg én
meg Rowley fel nem mentünk.

De én nem panaszkodom. Mert ahogy látom, min-
denki csak nyert.

Csütörtök

Egy nappal hálaadás előtt töridogát írunk, úgy-
hogy itt az ideje, hogy komolyan nekiálljak.

A tanárok idén sokkal komolyabban veszik a dolgozatokat, és már nem igazán működik az, ahogy eddig csináltam a dolgokat.

A múlt héten írtunk dolgozatot természettudományból, és Mrs. Breckman azt mondta, ki kell választanunk egy állatot, és arról kell írnunk. Így aztán a jávorszarvas mellett döntöttem.

A csodálatos jávorszarvas

írta Greg Heffley

Táplálkozás: A jávorszarvas nagyon-nagyon sokféle dolgot eszik, de a lista túl hosszú lenne, ha le akarnám írni. Úgyhogy időt takarítok meg azzal, ha csak azt sorolom föl, amit a jávorszarvas NEM eszik.

RÁGÓGUMI   FÉM   PIZZA

A PIZZÁJA, URAM!

IGAZÁN NEM... KÉPTELEN VAGYOK.

Bár mindenütt rezervátumokat hoztak létre nekik,
a jávorszarvas majdnem kihalt.

Mindenki tudja, hogy a jávorszarvasok ugyanúgy
a madaraktól származnak, mint az emberek. De
valahol útközben az embereknek karja nőtt, és a
jávorszarvasok megragadtak a haszontalan agan-
csaiknál.

VÉGE

Tényleg azt hittem, hogy egész jó munkát vé-
geztem. De szerintem Mrs. Breckman jávor-
szarvas-szakértő vagy mifene, mert elzavart a
könyvtárba, hogy ássam bele magamat a témába,
és jegyzeteljek rendesen.

És a KÖVETKEZŐ dolgozatom se lesz könnyebb.
Mr. Huff órájára verset kell írnom az 1900-as
évekről, de én semmit sem tudok SEM a történe-
lemről, SEM a költészetről. Azt hiszem, legjobb
lesz, ha elkezdem keresni a könyveket.

Hétfő
Tegnap Rowley-éknál voltam társasjátékozni, és
eszelős dolog történt. Miközben Rowley kiment a
fürdőszobába, észrevettem, hogy néhány játék-
pénz kandikál ki egy másik játék dobozából.

Alig hittem a szememnek. Mert ennek a játéknak a játékpénze PONTOSAN ugyanolyan volt, mint amit anya használ mamidolcsinak.

Megszámoltam, és 100 000 dollár volt abban a dobozban.

Két pillanatig tartott kitalálni, mit tegyek.

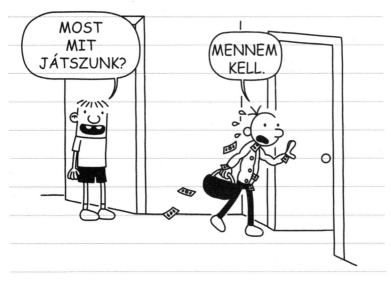

Mikor hazaértem, felrohantam, és a matracom alá gyömöszöltem a lóvét. Hánykolódtam, forgolódtam egész éjjel, hogy kitaláljam, mihez kezdjek az új mamidolcsikkal.

Arra gondoltam, talán valami módon anya észre-
veszi a különbséget a hamis mamidolcsik és a va-
lódiak között. Úgyhogy ma reggel úgy döntöttem,
teszek egy kísérletet.

Megkérdeztem anyát, hogy be tudna-e váltani
pár mamidolcsit készpénzre, hogy bélyeget tud-
jak venni a levelezőtársamnak.

Szemrebbenés nélkül elfogadta.

El sem tudtam hinni, mekkora szerencsém van!
Úgy számoltam, hogy ez a 100 000 dollár kitart a
középiskolás éveim alatt, sőt talán tovább is. Az is
lehet, hogy később nem is kell elmennem dolgozni.

Csak arra kell vigyáznom, hogy ne hozzak for-
galomba egyszerre túl sokat, mert akkor anya
rájön, hogy valami kavarás van.

És nem szabad elfelejteni, hogy keressek itt-ott egy kevés valódi mamidolcsit is, nehogy gyanút fogjon.

Egy dolgot azonban biztosan állíthatok: az anyától kapott pénzt nem bélyegvásárlásra fordítom.

Tegnap a levelezőtársam, Mamadou küldött egy képet levélben, és ez nagyjából kizárta minden lehetőségét annak, hogy valaha válaszolok NEKI.

<u>Kedd</u>

A nagy történelemdolgozatot holnap kell lead-
nom, de egész héten azt mondták, hogy ma éjjel
HARMINCCENTIS hó fog esni.

Úgyhogy nem túl sokat foglalkoztam vele.

Nagyjából 10:00-kor kipillantottam az ablakon,
hogy megnézzem, hány centis hó borítja a földet.
De alig hittem a szememnek, mikor elhúztam a
függönyt.

Öregem, arra számítottam, hogy holnap HÓSZÜ-
NET lesz az iskolában. Bekapcsoltam a híreket,
hogy lássam, mi történt, de az időjárás-jelentést
bemondó fickó TOTÁL mást mondott, mint három
órával azelőtt.

Ez azt jelenti, hogy villámgyorsan össze kellett
dobnom egy töridolgozatot. Az a baj, hogy túl
késő van elmenni a könyvtárba, és itthon nincs
semmilyen könyvünk az 1900-as évekről. Tudtam,
hogy valamit gyorsan ki kell találnom.

Akkor hatalmas ötletem támadt.

Apa MILLIÓSZOR kisegítette Rodrickot, amikor iskolai dolgozatot kellett beadnia. Úgy számoltam, hogy nekem is segíteni fog.

Vázoltam apának a helyzetet, arra számítva, hogy bedobja magát. De azt hiszem, apa ebben a kérdésben már megtanult hárítani.

Rodrick biztosan kihallgatta, hogy mit beszéltem apával, mert mondta, hogy menjek le vele az alagsorba.

Ugye tudjátok, hogy Rodricknak is Mr. Huff volt a töritanára felső tagozatban? Mint kiderült, Mr. Huff PONTOSAN ugyanazt a feladatot adta az ő osztályuknak is, amikor ugyanebbe az osztályba jártak.

Rodrick feltúrta a kacatos fiókját, és megtalálta a régi dolgozatát. És azt mondta, hogy eladja nekem öt dollárért.

Azt válaszoltam, arról SZÓ sem lehet.

Bevallom, az ajánlata kecsegtető volt. Először is, mivel Rodrick feladatai mindig átmentek apán, ezért Rodrick jó jegyeket kapott a dolgozataira. Másodszor, abban az átlátszó, műanyag borítóban tartotta, amiért odavannak a tanárok.

Ráadásul hatalmas adag mamidolcsi rejtőzött a matracom alatt, és tudtam, hogy ki tudnám fizetni Rodricknak.

De képtelen voltam megtenni. Vagyis másoltam már le azelőtt mások dolgozatát meg mifene, de hogy MEGVEGYEM valaki dolgozatát, az egészen más kategória.

Úgy döntöttem, hogy fel fogom szívni magam, és megírom a dolgozatot.

Végeztem egy kis kutatást a számítógépen, de éjfél körül a lehető legrosszabb dolog történt: elment az áram.

Akkor már tudtam, hogy komoly lekvárban vagyok. Tiszta sor, hogy megbukok történelemből, ha nem adom be a dolgozatot. Így bármennyire nem akarózott, úgy döntöttem, elfogadom Rodrick ajánlatát.

Összekapartam 500 mamidolcsit, és lementem az alagsorba. De Rodrick nem könnyítette meg a dolgom.

Rodrick közölte, hogy az új ár 20 000 mamidolcsi. Mondtam neki, hogy nincs ennyim, erre ő megfordult, és újból elaludt.

Ekkor már totál kétségbeestem. Felmentem, felkaptam egy köteg ezerdollárost, és levonultam Rodrick szobájába. Odaadtam neki a pénzt, ő meg átpasszolta nekem a dolgozatot. Nagyon pocsékul éreztem magam a történtek miatt, de megpróbáltam nem gondolni rá és lefeküdtem aludni.

<u>Szerda</u>

Az iskolába menet a buszon elővettem Rodrick dolgozatát a táskámból. De elég volt egyetlen pillantást vetni rá, hogy tudjam: valami komoly gáz van.

Először is a vers nem volt kinyomtatva. Rodrick kézírásával készült.

Akkor jutott eszembe: apa csak akkor kezdte megírni Rodrick házi feladatait, mikor középiskolába kezdett járni. Ez azt jelenti, hogy ez Rodrick SAJÁT műve.

Elkezdtem olvasni, hogy lássam, tudok-e vele valamit kezdeni. De nyilvánvaló lett, hogy Rodrick még nálam is pocsékabb kutatómunkát végzett.

Száz évvel ezelőtt
Írta Rodrick Heffley

Azon töprengek néhanap
Lobogó tűz előtt
Milyen volt e földi lét
Száz évvel ezelőtt?

Ült-e dínón ősvadász?
A pampák füve nőtt?
Gőzöm sincs róla, hogy mi volt
Száz évvel ezelőtt.

Bár lenne egy kis időgép,
És azt kapnám elő,
És abból látnám, hogy mi volt
Száz évvel ezelőtt.

Óriáspók volt a föld ura?
Sivatagra hullt eső?
Milyen volt ez a világ
Száz évvel ezelőtt?

Keress meg!

Azt hiszem, egy életre megtanultam, hogy ne vegyem meg más dolgozatát. Vagy legalábbis ne RODRICKÉT.

Mikor vége lett a harmadik órának, nem volt semmim, amit odaadhattam volna Mr. Huffnak. Azt hiszem, mehetek nyáron törikorrepetálásra.

A továbbiakban egyre pocsékabb lett a nap. Mikor hazaértem a suliból, anya várt az ajtóban.

Emlékeztek arra a halom pénzre, amivel Rodrickot kifizettem? Hát ő az ÖSSZESET át akarta váltani készpénzre, hogy egy használt motort vegyen. Biztos vagyok benne, hogy anya rájött, hogy valami nincs rendben, mert Rodrick még egyetlen mamidolcsit sem keresett.

Rodrick megmondta, honnan szedte a pénzt, mire ő elkezdett kutatni a szobámban, míg meg nem találta a matrac alá rejtett készleteimet. Anya tudta, hogy 100 000 dollárt soha nem hozott forgalomba, úgyhogy elkobozta az ÖSSZES pénzemet, még azt is, amiért tényleg megdolgoztam. Azt hiszem, ezzel vége a mamidolcsi-programnak.

Hogy őszinte legyek, kicsit megkönnyebbültem. Ekkora halom pénzen aludni minden éjjel tényleg kiborító volt.

Anya dühös rám, hogy megpróbáltam átverni, úgyhogy megbüntetett. De délig letudtam.

Csütörtök

Ma volt hálaadás, és úgy kezdődött, mint mindig: Loretta néni két órával korábban jött.

Anya engem meg Rodrickot jelölt ki, hogy „szórakoztassuk" Loretta nénit, ami azt jelenti, hogy addig beszélgessünk vele, míg be nem fut a többi rokon.

Rodrickkal eddig azon balhéztunk össze legjobban, hogy ki üdvözölje elsőként.

A többi családtag 11 óra körül kezdett szállingózni. Apa bátyja, Joe bácsi és a kölykei bukkantak föl legutoljára, nagyjából 12:30-kor.

Joe bácsi kölykei mind ugyanúgy üdvözölték apát.

Anya nagyon helyesnek tartja, de apa esküszik rá, hogy Joe bácsi direkt így tanította be a kölykeit.

Apa és Joe bácsi között meglehetősen feszült a légkör, mert apa még mindig dühös Joe bácsira azért, amit a MÚLT hálaadáskor mondott. Manny akkor kezdett szobatiszta lenni, és már egész jól haladt. Valójában két hete hagyta el a pelenkát.

De Joe bácsi mondott valamit Mannynek, ami mindent megváltoztatott.

Hat hónap telt el, míg Manny egyáltalán hajlandó volt betenni a lábát a fürdőszobába.

Valahányszor apa ezek után pelenkát cserélt, el-átkozta magában Joe bácsit.

Körülbelül 2-kor ebédeltünk, aztán mindenki bement a nappaliba beszélgetni. Én nem voltam fecsegős hangulatban, úgyhogy elmentem a tévé-szobába videojátékot játszani.

De gyanítottam, hogy apának is elege lehet a családból, mert lement az alagsorba, hogy a polgárháborús csatatéren dolgozzon. De elfelejtette bezárni maga után a kazánház ajtaját, és Joe bácsi bement utána.

Joe bácsit, úgy tűnt, nagyon érdekli, min dolgozik apa, úgyhogy apa mesélt róla.

Hosszan beszélt neki a 150. regimentről és a gettysburgi csatában játszott szerepéről. Nagyjából fél órán keresztül ismertette az egész csatát.

De azt hiszem, Joe bácsi nem igazán hallgatta, mit mond apa.

HELYES JÁTÉKSZEREK, BRATYÓ!

A hálaadás ezek után már nem tartott soká. Apa felment, és felcsavarta a termosztátot, míg pokoli hőség nem lett, és mindenki elhúzott. Általában így végződik nálunk a hálaadás.

DECEMBER

<u>Szombat</u>

Emlékeztek, mikor azt mondtam, milyen jó lenne, ha anya és apa végül tudomást szerezne Rodrick bulijáról? Hát ez ma megtörtént.

Anya elküldte apát, hogy hozza el a hálaadáskor készült képeket, és mikor visszajött, látszott, hogy valami baja van.

Az apa kezében lévő kép Rodrick buliján készült.

Úgy tűnik, Rodrick egyik barátja véletlenül készített egy képet anya gépével, amelyet a CD-játszó fölötti polcon tart. És a kép megörökítette az egész jelenetet.

Rodrick megpróbálta tagadni, hogy bulit ren-
dezett. De minden rajta volt a képen, úgyhogy
tényleg fölöslegesen izmozott.

Anya és apa elkobozta Rodrick kocsikulcsát, és
azt mondták, hogy büntetésből egy egész HÓ-
NAPIG nem hagyhatja el a házat.

Még rám is dühösek voltak, mert azt mondták,
én voltam Rodrick „cinkosa". Úgyhogy kéthetes
videojáték-megvonásban részesítettek.

Vasárnap
Mióta apa és anya tudomást szereztek a buliról,
kizárólag Rodrickkal foglalkoznak. Rodrick álta-
lában délután kettőig alszik hétvégén, de ma apa
reggel 8-kor felkeltette.

Ha ilyen korán kell kelnie, az teljesen kiüti Rod-
rickot, mert Rodrick IMÁD aludni. Egyszer ta-
valy ősszel Rodrick harminchat órát aludt EGY-
FOLYTÁBAN.

Vasárnap estétől aludt kedd reggelig, és csak kedd este döbbent rá, hogy egy egész nap kiesett az életéből.

De úgy látszik, Rodrick kitalált valamit az új, 8 órai zaklatás ellen. Most, mikor apa kiugrasztja az ágyból, Rodrick egyszerűen felviszi magával a holmiját, és a díványon alszik ebédig. Azt hiszem, ezt a menetet ő nyerte.

Kedd

Anya és apa ezen a hétvégén újra elmegy, és engem meg Rodrickot lead a nagyapánál. Azt mondták, otthon hagytak VOLNA, de bebizonyítottuk, hogy nem lehet bennünk megbízni.

Nagyapa a Leisure Towers-beli öregotthonban lakik. Pár hónapja ott töltöttünk egy hetet Rodrickkal, és be kell vallanom, hogy ez volt az egész nyár legszottyadtabb időszaka.

Manny a nagyinál lesz ezen a hétvégén, és én BÁRMIT megadnék, hogy cserélhessek vele.
Nagyi hűtője mindig roskadásig van üdítővel és süteménnyel meg effélékkel, és a kábeltévéjén fogni lehet az összes mozicsatornát.

Azért megy Manny a nagyihoz, mert Manny a nagyi kedvence. Nem kell mást tenni, csak megnézni a hűtőszekrényét. Abból minden kiderül.

De ha valaki azzal vádolja a nagyit, hogy kivételez, rögtön tiltakozik.

És nem csak a hűtőszekrényre kitett képekről van szó. Nagyi egész háza teli van Manny rajzaival meg cuccaival.

TŐLEM csak egy dolgot őrzött meg, amit hatéves koromban gyártottam. Dühös voltam rá, mert nem adott fagyit vacsora előtt, úgyhogy ezt írtam neki:

Nagyi hosszú évek óta őrzi ezt a levelet, és még MINDIG a fejemre olvassa.

Gyanítom, hogy minden nagyszülőnek van kedvence, és ezt meg is értem. De a nagyapa legalább nem titkolja.

GREGORY A KEDVENCEM.

Szombat

Anya és apa ma lerakott engem meg Rodrickot a nagyapánál, mint ahogy már szó esett róla.

Igyekeztem elfoglalni magam, de nagyapa lakrészében nincs semmi szórakoztató, úgyhogy leültem vele tévét nézni. De nagyapa nem is igazi show-műsorokat néz. A tévéjét a lakótömbjük bejárati ajtajának biztonsági kamerájára hangolta be.

Ha pár óráig EZT nézi az ember, akkor kezd egy kicsit begolyózni.

Öt óra körül nagyapa vacsorát készített nekünk. Nagyapánál a „vízitorma-saláta" nevű borzalmas étel a főfogás, ami a legpocsékabb kaja, amit valaha ember evett.

Alapvetően egy tál ecetben úszó, hideg zöldbab meg uborka.

Rodrick tudja, hogy MINDENNÉL jobban gyűlölöm a vízitorma-salátát, úgyhogy mikor legutóbb a nagyapánál voltunk, Rodrick egy egész halommal mert az én tányéromra.

GREG IMÁDJA A VÍZITORMA-SALÁTÁT.

Ott kellett ülnöm és legyűrni minden egyes falatot, nehogy megsértsem nagyapát.

Azt hiszitek, meglett a jutalma, hogy tisztára kanalaztam a tányért?

TESSÉK!

PLUTTY

171

Ma este nagyapa elénk tálalta a salátát, én meg úgy tettem, mintha megenném. De az összeset a zsebembe tömtem, mikor senki nem nézett oda.

Undorító érzés volt, mikor a hideg ecet elkezdett folyni a lábamon, de higgyétek el, ezerszer jobb volt, mint MEGENNI.

Vacsora után mindhárman a nappaliba mentünk. Nagyapának tényleg régi társasjátékai vannak, és én meg Rodrick mindig játszunk vele.

Az egyik játéknak Kacag a máj a címe. Ennek az a lényege, hogy mindenki húz egy kártyát, azután az egyik játékos felolvassa, ami a kártyára van írva, a másik pedig megpróbál nem nevetni rajta.

Én folyton megverem nagyapát, főleg azért, mert nem értem a tréfákat.

Rodrickot is megverem, mert Rodrick direkt veszít. Valahányszor nekem kell felolvasnom a kártyát, gondoskodik róla, hogy egy nagy korty tej legyen a szájában.

Este tízkor készen álltam a lefekvésre. Rodrick lefoglalta a díványt, és ez azt jelentette, hogy megint én alszom nagyapával.

Csak annyit mondhatok, ha apa és anya megpróbál megtanítani arra, hogy ne falazzak többé Rodricknak, akkor küldetés teljesítve.

BE TUDNÁD TENNI A FOGAMAT ABBA A POHÁRBA?

<u>Vasárnap</u>
Rodricknak tudományos előadást kell tartania a karácsonyi szünet előtt, és úgy látszik, anya és apa rá akarja venni Rodrickot, hogy egyedül csinálja meg.

Tavaly Rodrick tudományos dolgozatának címe ez volt: „Erőszakra sarkallják az embereket az erőszakos filmek?"

Azt hiszem, a terv szerint az emberek horrorfilmeket néznek, aztán képeket rajzolnak, hogy bebizonyítsák, milyen hatással volt rájuk a film.

De valójában csak ürügyet adott Rodricknak meg a barátainak, hogy hétköznap este egy csomó horrorfilmet nézzenek.

Rodrick haverjai megnézték a filmeket, de egyetlen képet sem rajzoltak. A tudományos előadás előtti estén Rodricknak semmije se volt, amit bemutathatott volna.

Úgyhogy anyának, apának és nekem kellett Rodrickot kisegíteni. Apa gépelte a szöveget, anya csinálta a táblát, nekem meg egy csomó képet kellett rajzolnom.

Minden tőlem telhetőt megtettem, hogy elképzeljem, mit rajzolnának a tinédzserek erőszakos filmek nézése után.

Ami TÉNYLEG pocsék volt, hogy anya begőzölt, mikor meglátta a rajzaimat, és azt mondta, hogy „zavarba ejtők". Ezért az év további részében csak ártatlan mesefilmeket nézhettem.

De ha az ember tényleg „zavarba ejtő" dolgokról akar beszélni, akkor azt az anyagot kell megnézni, amivel Manny állt elő akkoriban.

Egyik este Rodrick véletlenül benne felejtette az egyik horrorfilmjét a DVD-lejátszóban, és mikor Manny másnap ment, hogy megnézze a rajzfilmjeit, Rodrick filmjét találta meg.

Megtaláltam Manny pár rajzát azután, és némelyiktől NEKEM lettek rémálmaim.

<u>Kedd</u>

Az anya és apa által Rodricknak adott határidő
ma este 6:00-kor lejárt. Ekkor kellett volna be-
számolnia nekik a kísérleteiről.

De 6:45-kor a dolgok nem álltak valami jól.

Rodrick nézett egy műsort az asztronautákról és
arról, mi történik velük, ha hosszú ideig marad-
nak az űrben. A műsorban elhangzott, hogy mikor
az űrhajósok visszaérkeznek a Földre, MAGA-
SABBAK, mint mikor elmentek.

Ennek az az oka, hogy nincs gravitáció az űrben,
úgyhogy nem nyomódik össze a gerincük meg mi-
fene.

Nos, Rodrick erre az ötletre várt.

Rodrick közölte anyával és apával, hogy az emberi gerincre ható „zéró gravitáció" hatását fogja tanulmányozni. És ahogy Rodrick előadta, az ember azt gondolhatta volna, hogy kísérleteinek eredménye az emberiség javát szolgálja.

Apa egész meglepettnek látszott. Vagy csak megkönnyebbült, hogy Rodrick megoldotta az első feladatát. De azt hiszem, apa egy kissé másként kezdte látni a dolgokat, mikor azt mondta Rodricknak, hogy vigye ki a szemetet.

NEM TUDOM, ÉPPEN KUTATÁSOKAT VÉGZEK.

<u>Szerda</u>

Tegnap az iskolában bejelentették a nagy tehet-
ségkutató verseny főpróbáját.

Ahogy tudomást szereztem róla, azzal a FAN-
TASZTIKUS ötlettel álltam elő, hogy olyan vi-
dám jelenetet adunk majd elő, amit Rowley-val
meg tudunk csinálni. De be kell vallanom, hogy
a VALÓDI cél az, hogy beszélni tudjak Holly
Hillsszel, Heather Hills húgával, a legnépszerűbb
lánnyal az évfolyamunkon.

A FIÚ, AKIRŐL
A CSALÁDJA
AZT HISZI,
HOGY KUTYA

NÉZD, DRÁGÁM!
A KUTYÁNK A
KÉT HÁTSÓ
LÁBÁN ÁLL!

ÉN EMBER
VAGYOK,
NEM
KUTYA!

VÉGE

STÁBLISTA

ÍRTA – GREG HEFFLEY
RENDEZTE – GREG HEFFLEY
APA – GREG HEFFLEY
ANYA – HOLLY HILLS
KUTYA-FIÚ – ROWLEY JEFFERSON

Megmutattam Rowley-nak a forgatókönyvet, de nem ajzotta fel túlontúl az ötlet.

Azt hiszitek, Rowley hálás, hogy nagy sztárt faragok belőle? Sajnos, ahogy anya folyton mondja, vannak emberek, akiknek egyszerűen nem lehet a kedvére tenni.

Csütörtök

Rowley fogta magát, és MÁS partnert keresett
a tehetségkutató előadásra. Bűvészjelenetet fog
előadni a karatecsoportjába járó Scotty Douglas
nevű kölyökkel.

Ha tudni akarod, hogy gyötör-e a féltékenység,
szögezzük le: Scotty Douglas ELSŐS. Így Row-
ley-nak iszonyú mázlija lesz, ha a suliban nem
cikizik halálra ezért.

Egyetlen hatalmas tehetségkutató versenyt
tartanak az alsósoknak, a felsősöknek és a gimi-
seknek. Ez azt jelenti, hogy Rodrick és zenekara
ugyanabban a versenyben vesz majd részt, mint
Rowley és Scotty Douglas.

Rodrick mindent a tehetségkutatóra tett fel.
Ő és a zenekara soha nem játszott még közön-
ség előtt, ezért úgy látják, hogy itt a lehetőség,
hogy berobbanjanak a köztudatba.

Rodrick még mindig büntiben van, és az a szabály, hogy nem hagyhatja el a házat. Így aztán a zenekara egyszerűen csak átruccan mindennap gyakorolni hozzá az alagsorba. Azt hiszem, apa már kezdi azt kívánni, bárcsak valami más büntetésre ítélte volna Rodrickot.

De ha Rodrick és együttese tényleg azt hiszi, hogy megnyerhetik a tehetségkutató versenyt, akkor jobb lesz, ha komolyan veszik, és tényleg valami zenét kezdenek játszani. Mert a két utolsó próbát azzal töltötték, hogy az új visszhangosító pedállal szórakoztak, amit a hétvégére kaptak.

Péntek

Apa két héttel korábban feloldotta Rodrick büntetését, mert már ott tartott, hogy belepistul a Tele pölu együttes mindennapos próbáiba. Így aztán ma este Rodrick elmehetett a haverjához, Wardhoz a hétvégére.

Mivel Rodrick házon kívül volt, ez azt jelentette, hogy az alagsor felszabadult. Így aztán meghívtam Rowley-t, hogy töltse nálunk az estét.

Én meg Rowley vettünk egy csomó cukrot meg üdítőt, és Rowley áthozta a hordozható tévéjét. Sikerült lenyúlnunk Rodrick pár horrorfilmjét is, úgyhogy jól el voltunk eresztve. De anya lejött Mannyvel.

NÉZZÉTEK, KI CSATLAKOZIK HOZZÁTOK!

Anya csak azért sózta Mannyt a nyakunkba, hogy legyen, aki beköpi, ha valami rossz fát teszünk a tűzre.

Valahányszor itt aludt valaki, azt Manny tönkretette. Az volt a legrémesebb, mikor legutóbb Rowley itt aludt.

Manny valószínűleg fázott az éjszaka közepén, úgyhogy bemászott Rowley hálózsákjába, hogy felmelegedjen.

Ez eléggé kiakasztotta Rowley-t, úgyhogy korán hazament. És azóta nem is aludt itt.

Úgy látszott, Manny a mostani estét is tönkre fogja tenni. Elvégre nem nézhetünk horrorfilmeket, ha Manny itt kolbászol, úgyhogy elhatároztuk, társasjátékot játszunk helyette.

De egy kicsit unom már a társasjátékokat, és azonkívül Rowley is kiakasztott.

Minden öt percben ki kellett mennie a fürdőszobába, és valahányszor visszajött az alagsorba, átrúgott egy párnát a szobán.

Lehet, hogy az első pár alkalommal mókás volt, de aztán tényleg kezdett az idegeimre menni. Így aztán mikor Rowley legközelebb felment a fürdőszobába, megtréfáltam.

Apa egyik súlyzóját az egyik párna alá tettem. Biztos voltam benne, hogy mikor Rowley legközelebb lejön, nagyot rúg majd bele.

Hát ez is történt. Rowley elkezdett zokogni, mint egy csecsemő, és nem tudtam elhallgattatni. Rowley addig cirkuszolt, míg anya is lejött.

Anya vetett egy pillantást Rowley nagylábujjára, és úgy tűnt, nagyon aggódik.

Azt hiszem, érzékenyen érintette, hogy Rowley az alufólia golyós incidens után újból megsérült nálunk, így aztán hazavitte kocsival.

Én csak annak örültem, hogy nem kérdezte meg, hogyan történt.

Mikor anya meg Rowley kilépett az ajtón, tud-
tam, az lesz a legjobb, ha elkezdek Mannyvel
foglalkozni.

Manny látta, hogy én tettem a súlyzót a párna
alá, és tudtam, hogy elmondja anyának, mit mű-
veltem. Úgyhogy támadt egy ötletem, hogy meg-
akadályozzam az árulkodását.

Összecsomagoltam valami táskát, és közöltem
Mannyvel, hogy elszököm hazulról, így nem kell
szembenéznem anyával azért, amit tettem.

Aztán kisétáltam az ajtón, és úgy tettem, mint
aki lelécel.

ÉG VELED,
Ó, CSALÁD.
ÉG VELED,
ÉG VELED,
ÉG VELED!

Rodricktől vettem az ötletet. Ő is ugyanezt adta elő velem, mikor Ő tett valami rossz fát a tűzre, és tudta, hogy be fogom mártani ŐT: Úgy tett, mintha elszökne otthonról, aztán öt perccel később egyszerűen visszajött.

Addigra kész voltam megbocsátani, akármit is tett.

Így, miután megmondtam Mannynek, hogy elbujdosom hazulról, becsuktam az ajtót, és vártam kint pár percet. Mikor kinyitottam az ajtót, arra számítottam, hogy Manny a folyosón bömbölve fogad. De Manny nem volt ott, ahol hagytam. Körbejártam a házat, hogy megkeressem. Tudjátok, hol bukkantam rá?

Lenn az alagsorban ette a cukorkészletemet.

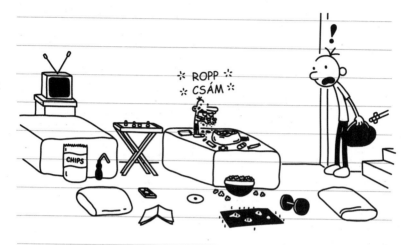

Egyébként, ha az az ára Manny hallgatásának,
hogy felfalja a cukraimat, ez még kibírható.

Szombat

Felkeltem ma reggel, és lementem a konyhába.
Egyetlen pillantás anya arcára elárulta, hogy
Manny befújt.

Manny mindent kitálalt anyának. Még a horror-
filmjeinkről is beszélt. Ne is kérdezzétek, hogy
ERRŐL honnan szerzett tudomást.

Anya felhívatta velem Rowley-t, hogy bocsánatot
kérjek, de aztán beszélnem kellett a szüleivel is,
és TŐLÜK is bocsánatot kellett kérnem.
Nem hinném, hogy a közeljövőben meghívnak ma-
gukhoz.

Aztán Mrs. Jeffersonnal beszélt telefonon. Mrs.
Jeffersontól értesült, hogy Rowley nagylábujja
eltört, és egy hétig hiányozni fog.

Aztán Mrs. Jefferson azt is elmondta, hogy Row-
ley-nak „megszakad a szíve", mert így lemarad a
tehetségkutató műsor próbáiról. Egész héten gya-
korolták Scotty Douglasszel a bűvészjelenetet.

Így aztán anya közölte Mrs. Jeffersonnal, hogy BOLDOG leszek, ha betölthetem Rowley helyét a próbákon. Hiába rángattam anya ingujját, hogy tudassam, milyen RETTENETES ez az ötlet, persze ügyet sem vetett rám.

Miután anya letette a kagylót, kijelentettem, hogy a legkevésbé sem vágyom arra, hogy színpadon varázsoljak egy olyan kölyökkel, akit még tavaly hátul gomboltak.

De anya nem hatódott meg. Elcipelt Scottyék házához, és elmagyarázta a helyzetet a mamájának. Így aztán nem volt menekvés.

Mrs. Douglas behívott, én meg Scottyval felmentem a szobájába, hogy elkezdjük a gyakorlást. Elsőként azt vettem észre, hogy Rowley és Scotty nem egyenlő partnerekként vesznek részt a produkcióban. Rowley gyakorlatilag Scotty ASSZISZTENSE volt.

Mondtam Scottynak, hogy szó sem lehet róla, hogy én egy elsős segédje legyek. De Scotty közölte, hogy ez az Ő varázskészlete, és kezdett túl nagy feneket keríteni a dolognak.

Végül beleegyeztem, csak hogy Scotty lecsendesedjen, mert higgyétek el, semmi szükségem sem volt egy újabb balhéra.

Aztán Scotty átadott egy csillogó flitteres inget és bejelentette, hogy ez lesz a jelmezem.

Valami olyasmi lehetett, amit a nagyi szokott viselni a bingózáshoz. Javasoltam Scottynak, hogy valami szuperebbet is felvehetnék, mondjuk, valami bőrdzsekit, de azt mondta, az nem lenne elég „varázslatos".

Egyébként kiderült, csak annyit kell tennem a jelenetben, hogy néha átadom Scottynak a kelléket, ez talán mégsem lesz annyira rossz.

De ne kérdezzétek, milyen érzés lesz, ha ötszáz ember előtt kell produkálni magam, és nem csak Scotty húgocskája előtt.

Vasárnap
EGY jó dolgot mondok, ami a Scotty Douglas-féle bűvészkedésből kisült: Egy csomó ötletet adott a „Kriton, a kretén" című képregényemhez.

Rowley pár hónapja abbahagyta az iskolaújság számára rajzolt „Atyagatya!" című képregényét, mert, ahogy mondta, több időt szeretne tölteni a Dinoblézer-figuráival. Ez azt jelenti, hogy a képregény-rajzolói hivatal betöltetlen ismét, és talán van esélyem.

Hétfő

Jó híreim vannak a tehetségkutató előadás-
sal kapcsolatban. Ma tartották a próbákat, és
Scotty meg én nem ütöttük meg a mércét.

Oké, talán jobb munkát is végezhettem volna
Scotty asszisztensének szerepében. De nem DI-
REKT szúrtam el. Csak egyszer-kétszer felejtet-
tem el odaadni neki a kellékeket.

Mi voltunk az EGYEDÜLIEK, akiknek nem sikerült
bejutni, és ez kissé kínos volt.

Tudom, hogy nem mi nyújtottuk a legsikerültebb
produkciót a próbán, de azért nem mi voltunk a
LEGROSSZABBAK. Néhány szám sokkal bénább
volt, mint a mi bűvészmutatványunk.

A Harry Gilbertson nevű óvodás például bekerült, pedig csak nyolcasokat írt le egy rádiós magnó körül, amelyik a „Boci, boci tarkát" játszotta.

Rodrick együttese bekerült, és most úgy csinál, mintha az valami hatalmas teljesítmény lenne.

Ahogy már korábban is mondtam, Rodrick tényleg izgul a téli tehetségkutató verseny miatt. Végül egy nappal KORÁBBAN kellett leadnia a tudományos dolgozatát, így be tud préselni még egy extra próbát a nagy nap előtt.

De mikor beadta a dolgozatát, a tanár azt mondta neki, hogy kezdje újra, és valami egészen új ötlettel álljon elő. Megrótta, mert Rodrick nem „tudományos módszert" használt a hipotézisnél meg a konklúziónál meg a többinél.

Rodrick azt mondta a tanárnak, hogy a „zéró gravitáció" alatt másfél millimétert nőtt, és ez azt jelenti, hogy valaminek a nyomára jött.

De a tanár szerint Rodrick korában tök normális az ilyen arányú növekedés.

Hát ez tényleg gáz rám nézve is, mivel úgy döntöttem, hogy az én dolgozatom is a „zéró gravitációról" készül.

És úgy fest, hogy a kutatásaimra fordított idő puszta időpocsékolás volt.

Apa azt mondta Rodricknak, hogy egyszerűen hagyja ki a tehetségkutatót, és akkor elvégezheti az új kísérleteket, de Rodrick azt mondta, nem hajlandó rá.

Rodrick közölte apával, hogy a továbbiakban nem ÉRDEKLI az iskola, azt tervezi, hogy megnyeri a tehetségkutató versenyt, és az előadás hangfelvételét arra használja, hogy lemezt adjon ki. Aztán otthagyja az iskolát, és hivatásos zenész lesz.

Számomra rettenetes tervnek tűnt, de úgy látszik, apa fogékony rá.

Szerda

Ma volt a nagy téli tehetségkutató verseny. Én nem akartam menni, és apa sem. De anya mindkettőnket elterrorizált, hogy bátorítsuk Rodrickot.

Rodrick és anya korán elment az iskolába, hogy valami felszerelést vigyenek Rodrick együttesének, úgyhogy apának az együttes furgonján kellett mennie Bill-lel. De apa nem ijedt meg nagyon, mikor a főnökével futott össze az iskola parkolójában.

A verseny 7:00-kor kezdődött, és hadd mondjam meg, szerintem tényleg pocsék ötlet volt a három iskolát összecsapni erre az alkalomra.

A végén odáig fajultak a dolgok, hogy az óvodá-
sok a plüssmacijukhoz énekeltek dalokat, aztán
jöttek a tizennyolc évesek a gyors metál gitár-
szólókkal.

ÉS MOST LARRY
LARKIN ELŐADÁSA
KÖVETKEZIK, CÍME
„A MÉSZÁRLÁS".

SÍP
SÍP

Szerintem apa nem csípte Larry Larkint meg a
pirszingjeit. Larry gitárszólójának közepén apa
előrehajolt, és odasúgta a mellette ülő embernek:

MI A LEGROSSZABB,
AMIT EZ A KÖLYÖK
MONDHATNA
MAGÁNAK?

MICSODA?

Azt kívántam, bár lenne időm figyelmeztetni apát, hogy a fickó, akihez beszél, pont Larry apja.

Az iskolák összezagyválásának másik kínos következménye az volt, hogy túl sok lett a szereplő, és a verseny az ÖRÖKKÉVALÓSÁGIG tartott.

9:30-kor úgy döntöttek, hogy két produkciót mutatnak be egy időben, hogy felpörgessék az ügymenetet. Néha egész jól sült el, mint mikor Patty Farrell sztepptáncolt, miközben Spencer Kitt bűvésztrükköket mutatott be. De más esetben nem valami fényesen sikerült, például mikor Terrence James harmonikázott egy egykerekű bringán, mialatt Charise Kline felolvasta a globális felmelegedésről szóló költeményét.

Rodrick együttese lépett fel utolsóként a színpadra.

A verseny előtt Rodrick megkért, hogy vegyem fel videóra az előadásukat, de közöltem, hogy ne is álmodjon róla.

Olyan görény volt velem az utóbbi időben, hogy el se hittem, hogy megpróbál szívességet kérni tőlem. Így aztán anya önként jelentkezett, hogy elkészíti a felvételt.

Rodrick együttesét Harry Gilbertsonnal állították párba, a görkorcsolyás kölyökkel. Abban biztos voltam, hogy Rodrick nem repesett az örömtől.

Észrevettem, hogy miközben Rodrick zenekara játszott, apa már nem ült mellettem, úgyhogy elindultam megkeresni.

Apa kinn álldogált a tornaterem mögött, vatta-
csomó lógott ki a füléből, és ott maradt, míg a
szám véget ért.

Miután Rodrick együttese befejezte a műsorát,
átadták a díjakat. Rodrick együttese nem kapott
semmit, de Harry Gilbertsont díjjal jutalmazták
a „Legjobb zenés jelenet" kategóriában.

De soha nem találjátok ki, ki nyerte a fődíjat: Rowley bébiszittere, Leland.

A hasbeszélő számáért kapta, mert a bírák szerint „nagyon épületes".

Nem hittem volna, hogy valaha egyetértek Rodrickkal bármiben, de talán mégis igaza van abban, hogy végül is Leland egy kocka.

A verseny után Rodrick együttese eljött hozzánk, hogy megnézze a videón az előadást.

Morogtak arról, micsoda „méltánytalanság" érte őket, és hogy a bíráknak gőzük sincs a rock and rollról.

Az volt a tervük, hogy egyszerűen elküldik postán a videokazettát valami lemeztársaságnak, és hagyják, hogy magáért beszéljen az előadás.

Valamennyien letelepedtek a tévé elé, és Rodrick betette a kazettát. Harminc másodperc múlva mindenki számára világos lett, hogy a szalag használhatatlan.

Ugye tudja mindenki, hogy Rodrick anyát kérte meg, hogy vegye föl az előadást? Nos, kameramanként egész jó munkát végzett, de az első két percben be nem állt a szája. És a videokamera minden megjegyzését hűen rögzítette.

EBBEN AZ INGBEN RODRICK KARJA OLYAN VÉZNÁNAK LÁTSZIK!

Valahányszor Bill kidugta a nyelvét és föl-le mozgatta, mint valami rocksztár, hallani lehetett, hogy anya hangot ad a véleményének.

Igazság szerint anya csak akkor hagyta abba a megjegyzéseket, valahányszor Rodrick dobszólója következett. De ezalatt a kamera annyira remegett, hogy gyakorlatilag semmit sem lehetett látni.

A Tele Pőlu tagjai persze marha dühösek lettek. De aztán az egyiknek eszébe jutott, hogy az iskola is rögzítette az egész előadást, és valószínűleg holnap este látható lesz a helyi kábeltévén.

Azt hiszem, ez azt jelenti, hogy valamennyien visszajönnek, hogy AZT is megnézzék.

<u>Csütörtök</u>

A helyzet tényleg meredek lett az utóbbi pár órában.

Az együttes tagjai ma 7:00 körül megjelentek, hogy megnézzék a tehetségkutató versenyt a tévén. Végigülték az egész háromórás műsort, míg végre ők következtek.

Az iskola tisztességes munkát végzett az előadás rögzítésekor, és a dolgok meglehetősen jól álltak egészen Rodrick dobszólójáig.

Anya akkor elkezdett táncolni. Aki a felvételt készítette, ráközelített anyára, és a kamera őt mutatta egészen a dal végéig.

Ez azt jelentette, hogy Rodricknak SEMMIJE nem volt, amit elküldhetett volna a lemeztársaságoknak. És ettől rendesen berágott.

Először csak anyára fújt, hogy összekutyulta a dolgokat. De anya azzal védekezett, ha Rodrick nem akarja, hogy az emberek táncoljanak, akkor ne zenéljen.

Aztán Rodrick NEKEM esett. Kijelentette, hogy az egész az ÉN hibám, mert ha egyszerűen felvettem volna az egész versenyt, ahogy kérte, ez nem történhetett volna meg.

De én azt válaszoltam, ha talán nem lett volna velem olyan görény, akkor megtettem volna neki ezt a szívességet.

Üvöltözni kezdtünk egymással. Anya és apa szétszedett minket, aztán Rodrickot leküldték a szobájába, engem meg föl a sajátomba.

De pár órával később, mikor lementem, belefutottam Rodrickba a konyhában. Mosolygott, és rögtön tudtam, hogy valami van.

Rodrick bejelentette, hogy a „titkom napvilágra került".

Először nem tudtam, miről beszél. De aztán leesett: arról beszél, ami ezen a nyáron történt velem.

Lerohantam az alagsorba, előkaptam Rodrick mobilját, hogy lássam, használta-e. Hát persze, MINDEN haverját felhívta, akinek korombéli húga vagy öccse van.

Holnapra az iskolában MINDENKI ismeri majd a sztorit. És biztos vagyok benne, hogy Rodrick úgy kicsavarta a tényeket, hogy még a valóságnál is ROSSZABBNAK tűnjön az eset.

Most, hogy a titkom napvilágra került, az igazság kedvéért le akarom írni, mi is történt VALÓJÁBAN, hogy ne csak a Rodrick által elferdített változatot ismerjék.

Így történt.

A nyáron én meg Rodrick a nagypapánál töltöttünk pár napot a Leisure Towers öregotthonban. De ott nem lehetett SEMMIT csinálni, úgyhogy kezdtem becsavarodni.

Annyira unatkoztam, hogy előszedtem a régi naplómat, és elkezdtem folytatni. De Rodrick orra előtt előszedni egy „napló" feliratú könyvet VÉGZETES hibának bizonyult.

Rodrick ellopta a naplómat, és elrohant vele. Való-
színűleg berohant volna a fürdőszobába, ha valaki
nem hagyta volna elöl kiterítve a „Kacag a máj"-at.

Felkaptam a könyvet a padlóról, kiszaladtam a
folyosóra, majd le a lépcsőn. Aztán bevettem ma-
gam az előcsarnok vécéjébe, és magamra zártam
az egyik fülkét.

Fölemeltem a talpamat a padlóról, ha Rodrick be-
jön, ne tudja, hogy itt vagyok.

Tudtam, ha Rodrick megkaparintja a feljegyzé-
seimet, az kész rémálom lesz. Ezért úgy döntöt-
tem, hogy az egészet apró darabokra tépem, és
lehúzom a klotyón. Jobbnak látszott egyszerűen
elpusztítani, mint megkockáztatni, hogy Rodrick
megkaparintsa.

De mikor elkezdtem kitépdesni a lapokat a könyv-
ből, meghallottam, hogy nyílik a fürdőszoba ajtaja.
Azt hittem, Rodrick az, úgyhogy lapítottam.

Nem hallottam semmit, úgyhogy kikémleltem a
fülke teteje fölött, hogy megnézzem, mi folyik.
Akkor láttam meg a nőt a tükör előtt állva, amint
a sminkjét igazította.

Úgy gondoltam, hogy a hölgy csak véletlenül té-
vedt be a férfivécébe, mert a Leisure Towersben
lakók folyton ilyesmit művelnek.

Már majdnem megszólaltam és figyelmeztettem a hölgyet, hogy rossz vécébe tévedt, mikor újabb ember sétált be. Tudjátok ki? MÉG EGY nő!

Akkor döbbentem rá, hogy én kevertem össze, én vagyok a NŐI vécében.

Azon imádkoztam, bárcsak azok a hölgyek csupán kezet mosnának és elmennének, hogy kisurran-hassak. De betelepedtek a két oldalamon álló két fülkébe. És valahányszor egy nő kiment a vécé-ből, másvalaki foglalta el a helyét. Így nem tud-tam kilógni.

Ha Rowley azt képzeli, rossz volt, mikor azok a fiúk megetették vele a Sajtot, próbáljon meg másfél órára bennragadni a Leisure Towers női vécéjében.

Azt hiszem, végül valaki meghallotta, hogy ott vagyok, és feljelentettek a portán. Pár percen belül elterjedt a híre, hogy egy „kukkolót" fogtak a női mosdóban.

Mire kijöttek a biztonságiak és kiengedtek, a Leisure Towers összes lakója lenn tolongott az előcsarnokban. És Rodrick az egészet látta fent nagyapa tévéjén.

Most, hogy a sztori napvilágra került, tudtam, nem mutatkozhatok az iskolában. Azt mondtam anyának, írasson át valami más iskolába, és elmondtam neki, hogy miért.

Anya azt mondta, ne törődjek vele, hogy mások mit gondolnak rólam. Azt is mondta, hogy az osztálytársaim megértik majd, hogy „ártatlan tévedés" áldozata lettem.

Mindez csak azt bizonyítja, hogy anya SEMMIT sem ért a korombeli gyerekekhez.

Most átkoztam magam, hogy nem tartottam fenn a levelezőtársi viszonyt Mamadouval. Ha kapcsolatban maradunk, talán elmehettem volna Franciaországba cserediáknak, és OTT meghúzhattam volna magam pár évig.

Csak annyit tudtam, hogy egyetlen helyre nem akarok menni, és ez az iskola. De úgy tűnik, pontosan oda tartok.

Péntek

A LEGŐRÜLTEBB dolog esett meg ma velem. Mikor beléptem az iskola kapuján, egy csomó srác sarokba szorított, én meg összekaptam magam, mert tudtam, mindjárt kezdődik az ugratásom. De ahelyett, hogy szívattak volna, GRATULÁLNI kezdtek.

Mindenki a kezemet szorongatta, a vállamat veregette, és fogalmam sem volt, mi folyik itt.

Mivel mindenki egyszerre beszélt, eltartott egy ideig, míg kihámoztam az értelmét. Valami ilyesmi történhetett:

Rodrick elmondta a történetet a barátainak, akik aztán továbbadták az öccsüknek és húgaiknak, végül az Ő barátaikhoz került.

Mire elterjedt a történet, az összes részlet öszszekutyulódott.

Így aztán abból, hogy véletlenül betévedtem a Leisure Towers mosdójába, az lett, hogy szándékosan besurrantam a Crossland KÖZÉPISKOLA női öltözőjébe.

Hihetetlen, hogy ennyire félrecsúszott a sztori, de azért nem kezdtem helyreigazítani a történetet.

Hirtelen az iskola hősévé váltam. Még becenevem is lett. Elkezdtek Surrminátornak nevezni.

Valaki csinált egy Surrminátor feliratú fejkendőt is nekem, és jobb, ha elhiszitek, hogy hordtam is. SOHA nem történtek még velem ilyen dolgok, úgyhogy a dicsőség egyetlen pillanatát sem hagyom kihasználatlanul.

És először az életben megtudtam, milyen érzés a legnépszerűbb kölyöknek lenni az iskolában.

Sajnos a lányok nem voltak annyira lenyűgözve tőlem, mint a fiúk. Lehet, hogy gondot okoz, hogy kivel táncolok majd a Valentin-napi bálon.

Hétfő

Ugye emlékeztek, hogy Rodrick fel akarta hívni a figyelmet az együttesére? Nos, valamennyire teljesült a kívánsága, mert most már MINDENKI tudja, mi az a Tele pölu.

Azt hiszem, valaki nagyon viccesnek találhatta a tehetségkutató versenyen anya produkcióját, mert tele van vele az internet. És most már mindenki tudja, hogy Rodrick Heffley a dobos a „Táncoló anyuka" című videóban.

Azóta Rodrick az alagsorban bujdokol és várja, hogy elmúljon az egész hajcihő. Be kell vallanom, valahol sajnálom kicsit.

Engem is csúfoltak a videó miatt az iskolában, de legalább én nem voltam BENNE.

Bár Rodrick néha hatalmas tökfej, akkor is a bátyám.

Holnap lesz a tudományos előadása, és ha Rodrick nem durrantja be a projektjét, kivágják az iskolából.

Ezért ajánlottam fel neki a segítségemet, megjegyzem, egyúttal utoljára. Egész éjszaka együtt dolgoztunk, és nem akarok dicsekedni, de egész jó munkát végeztünk.

Egyébként, mikor Rodrick megkapja az első díjat és átmegy a vizsgán holnap, csak remélni tudom, hogy rájön, milyen szerencsés, hogy ilyen öccse van, mint ÉN.

KÖSZÖNETNYILVÁNÍTÁS

Örökre hálás leszek a családomnak az ötletekért, a bátorításért és a támogatásért, amire szükségem van, hogy megalkossam ezeket a könyveket. Nagy-nagy köszönet illeti fivéreimet, Scottot és Patet; nővéremet, Rét, anyámat és apámat. Nélkületek nem léteznének Heffley-ék. Köszönet feleségemnek, Julie-nak és a gyerekeimnek, akik annyi áldozatot hoztak, hogy megvalósuljon az álmom, hogy képregényrajzoló legyek. Köszönet apósomnak és anyósomnak, Tomnak és Gailnek, akik mindig segítettek a nehézségek idején.

Köszönet az Abrams szenzációs csapatának, különösen Charlie Kochmannak, a hihetetlenül elhivatott szerkesztőnek és csodálatos embernek; mindazoknak az Abramsnál, akikkel öröm volt együtt dolgozni. Ők Jason Wells, Howard Reeves, Susan van Metre, Chad Beckerman, Samara Klein, Valerie Ralph és Scott Auerbach. Külön köszönet illetei Michael Jacobsot.

Köszönöm Jess Brallier-nek, hogy a Funbrain.com-on életre keltette Greg Heffley-t. Köszönet Betsy Birdnek, aki jelentős befolyását latba vetette, hogy elterjessze az *Egy ropi naplójá*nak hírét. Végül köszönet Dee Sockol-Frye-nek, és a könyvkereskedőknek szerte az országban, akik a gyerekek kezébe adták ezeket a könyveket.

A SZERZŐRŐL

Jeff Kinney online játékfejlesztő és -tervező, valamint a *New York Times* bestsellerlistáját vezető *Egy ropi naplója* című könyv szerzője. Gyermekkorát Washington, D.C.-ben töltötte, majd 1995-ben New Englandbe költözött. Jeff most Massachusetts állam déli részén él felesége, Julie, és két gyermeke, Will és Grant társaságában.